PRIMO LEVI

Primo Levi est né à Turin en 1919. En 1942, après des études de chimie, il s'installe à Milan. Il est arrêté comme résistant en février 1944, puis déporté à Auschwitz, où il restera jusqu'en janvier 1945, date de la libération du camp par les Soviétiques. La guerre finie, il épouse Lucia Morpugo, dont il aura deux enfants, et prend la direction d'une entreprise de produits chimiques. Parallèlement, il commence à écrire. Son premier livre, *Si c'est un homme*, paru en 1947, le journal de sa déportation, est l'un des tout premiers témoignages sur l'horreur d'Auschwitz. Publié à l'origine dans une petite maison d'édition italienne, ce n'est que dix ans plus tard qu'il est mondialement reconnu comme un chef-d'oeuvre.

Primo Levi est également l'auteur d'une douzaine d'ouvrages, des récits, des nouvelles, dont plusieurs furent couronnés par des prix : *La trêve* (1963), écrit sous le pseudonyme de Damiano Malabaila, *Histoires naturelles* (1966), *Vice de forme* (1971), *Le système périodique* (1975), des récits inspirés par son expérience de chimiste, *La clé à molette* (1978), *Lilith* et *À la recherche des racines* (1981), *Maintenant ou jamais* (1982), puis *Les naufragés et les rescapés* (1986), son dernier livre, le plus sombre et le plus pessimiste.

Primo Levi s'est donné la mort en 1987.

SI C'EST
UN HOMME

ÉGALEMENT CHEZ POCKET

SI C'EST UN HOMME
MOI QUI VOUS PARLE

AINSI FUT AUSCHWITZ
**en collaboration avec Leonardo de
Benedetti**

Également disponible chez 10/18

DERNIER NOËL DE GUERRE

PRIMO LEVI

SI C'EST
UN HOMME

Traduit de l'italien par
Martine Schruoffeneger

JULLIARD

Titre original :

SE QUESTO È UN UOMO

© Giulio Einaudi éditeur s.p.a., Turin, 1958 et 1976.
© Julliard, pour la traduction française, 1987.
ISBN : 978-2-266-02250-7

PRÉFACE

J'ai eu la chance de n'être déporté à Auschwitz qu'en 1944, alors que le gouvernement allemand, en raison de la pénurie croissante de main-d'œuvre, avait déjà décidé d'allonger la moyenne de vie des prisonniers à éliminer, améliorant sensiblement leurs conditions de vie et suspendant provisoirement les exécutions arbitraires individuelles.

Aussi, en fait de détails atroces, mon livre n'ajoutera-t-il rien à ce que les lecteurs du monde entier savent déjà sur l'inquiétante question des camps d'extermination. Je ne l'ai pas écrit dans le but d'avancer de nouveaux chefs d'accusation, mais plutôt pour fournir des documents à une étude dépassionnée de certains aspects de l'âme humaine. Beaucoup d'entre nous, individus ou peuples, sont à la merci de cette idée, consciente ou inconsciente, que « l'étranger, c'est l'ennemi ». Le plus souvent, cette conviction sommeille dans les esprits, comme une infection latente ; elle ne se manifeste que par des actes isolés, sans lien entre eux, elle ne fonde pas un système. Mais lorsque cela se produit, lorsque le dogme informulé est promu au rang de prémisse majeure d'un syllogisme, alors, au bout de la chaîne logique, il y a le Lager ; c'est-à-dire le produit d'une conception du monde poussée à ses plus extrêmes conséquences avec une cohérence rigoureuse ; tant que la conception a cours, les conséquences nous menacent. Puisse l'histoire des camps d'extermination retentir pour tous comme un sinistre signal d'alarme.

Je suis conscient des défauts de structure de ce livre, et j'en demande pardon au lecteur. En fait, celui-ci était déjà écrit, sinon en acte, du moins en intention et en pensée dès l'époque du Lager. Le besoin de raconter aux « autres », de faire participer les « autres », avait acquis chez nous, avant comme après notre libération, la violence d'une impulsion immédiate, aussi impérieuse que les autres besoins élémentaires ; c'est pour répondre à un tel besoin que j'ai écrit mon livre ; c'est avant tout en vue d'une libération intérieure. De là son caractère fragmentaire : les chapitres en ont été rédigés non pas selon un déroulement logique, mais par ordre d'urgence. Le travail de liaison, de fusion, selon un plan déterminé, n'est intervenu qu'après.

Il me semble inutile d'ajouter qu'aucun des faits n'y est inventé.

PRIMO LEVI
Turin, janvier 1947.

SI C'EST UN HOMME

Vous qui vivez en toute quiétude
Bien au chaud dans vos maisons,
Vous qui trouvez le soir en rentrant
La table mise et des visages amis,
Considérez si c'est un homme
Que celui qui peine dans la boue,
Qui ne connaît pas de repos,
Qui se bat pour un quignon de pain,
Qui meurt pour un oui pour un non.
Considérez si c'est une femme
Que celle qui a perdu son nom et ses cheveux
Et jusqu'à la force de se souvenir,
Les yeux vides et le sein froid
Comme une grenouille en hiver.
N'oubliez pas que cela fut,
Non, ne l'oubliez pas :
Gravez ces mots dans votre cœur.
Pensez-y chez vous, dans la rue,
En vous couchant, en vous levant ;
Répétez-les à vos enfants.
Ou que votre maison s'écroule,
Que la maladie vous accable,
Que vos enfants se détournent de vous.

1

LE VOYAGE

J'avais été fait prisonnier par la Milice fasciste le 13 décembre 1943. J'avais vingt-quatre ans, peu de jugement, aucune expérience et une propension marquée, encouragée par le régime de ségrégation que m'avaient imposé quatre ans de lois raciales, à vivre dans un monde quasiment irréel, peuplé d'honnêtes figures cartésiennes, d'amitiés masculines sincères et d'amitiés féminines inconsistantes. Je cultivais à part moi un sentiment de révolte abstrait et modéré.

Ce n'était pas sans mal que je m'étais décidé à choisir la route de la montagne et à contribuer à mettre sur pied ce qui, dans mon esprit et dans celui de quelques amis guère plus expérimentés que moi, était censé devenir une bande de partisans affiliée à *Giustizia e Libertá*[1]. Nous man-

1. *Giustizia e Libertá* (Justice et Liberté) : organisation antifasciste qui joua un rôle important, tant dans la lutte pour la libération de l'Italie que durant les premières années de l'après-guerre où elle devint un parti politique. (Toutes les

quions de contacts, d'armes, d'argent, et de l'expérience nécessaire pour nous procurer tout cela ; nous manquions d'hommes capables, et nous étions en revanche envahis par une foule d'individus de tous bords, plus ou moins sincères, qui montaient de la plaine dans l'espoir de trouver auprès de nous une organisation inexistante, des cadres, des armes, ou même un peu de protection, un refuge, un feu où se chauffer, une paire de chaussures.

A cette époque on ne m'avait pas encore enseigné la doctrine que je devais plus tard apprendre si rapidement au Lager, et selon laquelle le premier devoir de l'homme est de savoir utiliser les moyens appropriés pour arriver au but qu'il s'est prescrit, et tant pis pour lui s'il se trompe ; en vertu de quoi il me faut bien considérer comme pure justice ce qui arriva ensuite. Trois cents miliciens fascistes, partis en pleine nuit pour surprendre un autre groupe de partisans installé dans une vallée voisine, et autrement important et dangereux que le nôtre, firent irruption dans notre refuge à la pâle clarté d'une aube de neige, et m'emmenèrent avec eux dans la vallée comme suspect.

Au cours des interrogatoires qui suivirent, je préférai déclarer ma condition de « citoyen italien de race juive », pensant que c'était là le seul

notes, sauf une qui est de l'auteur et signalée comme telle, sont du traducteur.)

moyen de justifier ma présence en ces lieux, trop écartés pour un simple « réfugié », et estimant (à tort, comme je le vis par la suite) qu'avouer mon activité politique, c'était me condamner à la torture et à une mort certaine. En tant que juif, on m'envoya à Fossoli, près de Modène, dans un camp d'internement d'abord destiné aux prisonniers de guerre anglais et américains, qui accueillait désormais tous ceux — et ils étaient nombreux — qui n'avaient pas l'heur de plaire au gouvernement de la toute nouvelle république fasciste.

Lors de mon arrivée, fin janvier 1944, il y avait dans ce camp environ cent cinquante juifs italiens, mais au bout de quelques semaines on en comptait plus de six cents. C'étaient pour la plupart des familles entières qui avaient été capturées par les fascistes ou les nazis, à la suite d'une imprudence ou d'une dénonciation. Un petit nombre d'entre eux s'étaient spontanément constitués prisonniers, pour échapper au cauchemar d'une vie errante, par manque de ressources, ou encore pour ne pas se séparer d'un conjoint arrêté, et même, absurdement, « pour être en règle avec la loi ». Il y avait là en outre une centaine de soldats yougoslaves et quelques autres étrangers considérés comme politiquement suspects.

L'arrivée d'un petit détachement de SS aurait dû alerter même les plus optimistes, mais on réussit en dépit de tout à donner à l'événement les interprétations les plus variées, sans en tirer la conclusion pourtant évidente qui s'imposait ; de

13

sorte que, contre toute attente, l'annonce de la déportation prit tout le monde au dépourvu.

Le 20 février, les Allemands avaient effectué dans le camp une inspection en règle, allant jusqu'à signifier publiquement au commissaire italien leur vif mécontentement pour la mauvaise organisation des cuisines et l'insuffisance du bois de chauffage ; à quoi ils avaient ajouté qu'une infirmerie entrerait sous peu en service. Mais le 21 au matin, on apprit que les juifs partiraient le lendemain. Tous sans exception. Même les enfants, même les vieux, même les malades. Destination inconnue. Ordre de se préparer pour un voyage de quinze jours. Pour tout juif manquant à l'appel, on en fusillerait dix.

Seule une minorité de naïfs et de dupes s'obstina à espérer : nous, nous avions eu de longues conversations avec les réfugiés polonais et croates, et nous savions ce que signifiait l'ordre de départ.

A l'égard des condamnés à mort, la tradition prévoit un cérémonial austère, qui marque bien que toute colère et toute passion sont désormais sans objet, et que l'accomplissement de la justice, n'étant qu'un triste devoir envers la société, peut admettre de la part du bourreau un sentiment de pitié envers la victime. Ainsi évite-t-on au condamné tout souci extérieur, il a droit à la solitude et, s'il le désire, à toute espèce de réconfort spirituel ; bref, on fait en sorte qu'il ne sente autour de lui ni haine ni arbitraire, mais la nécessité et la justice, et le pardon dont s'accompagne la punition.

Mais nous, nous n'eûmes rien de tout cela, parce que nous étions trop nombreux, et que le temps pressait. Et puis, finalement, de quoi aurions-nous dû nous repentir ? Qu'avions-nous à nous faire pardonner ? Le commissaire italien prit donc des dispositions pour que tous les services continuent à fonctionner jusqu'à l'ordre de départ définitif ; les cuisines restèrent ouvertes, les corvées de nettoyage se succédèrent comme à l'accoutumée, et même les instituteurs et les professeurs de la petite école donnèrent leur cours du soir, comme chaque jour. Mais ce soir-là les enfants n'eurent pas de devoirs à faire.

La nuit vint, et avec elle cette évidence : jamais être humain n'eût dû assister, ni survivre, à la vision de ce que fut cette nuit-là. Tous en eurent conscience : aucun des gardiens, ni italiens ni allemands, n'eut le courage de venir voir à quoi s'occupent les hommes quand ils savent qu'ils vont mourir.

Chacun prit congé de la vie à sa façon. Certains prièrent, d'autres burent outre mesure, d'autres encore s'abandonnèrent à l'ivresse d'un ultime, inexprimable moment de passion. Mais les mères, elles, mirent tous leurs soins à préparer la nourriture pour le voyage ; elles lavèrent les petits, firent les bagages, et à l'aube les barbelés étaient couverts de linge d'enfant qui séchait au vent ; et elles n'oublièrent ni les langes, ni les jouets, ni les coussins, ni les mille petites choses qu'elles connaissent si bien et dont les enfants ont toujours besoin. N'en feriez-vous pas autant vous aussi ? Si on devait vous tuer demain avec votre enfant, refuseriez-vous de lui donner à manger aujourd'hui ?

La baraque 6 A comptait parmi ses occupants le vieux Gattegno, accompagné de sa femme et d'une tribu d'enfants, de petits-enfants, de gendres et d'infatigables belles-filles. Tous les hommes de la famille étaient menuisiers ; ils étaient arrivés de Tripoli au terme de longues et nombreuses pérégrinations, et partout où ils passaient ils emportaient avec eux leurs outils, leur batterie de cuisine, et même leurs accordéons et leurs violons pour en jouer et danser le soir, après le travail, car c'étaient des hommes aussi gais que pieux. Leurs femmes, silencieuses et rapides, eurent fini avant toutes les autres les préparatifs de voyage, afin qu'il restât du temps pour célébrer le deuil ; et lorsque tout fut prêt, les galettes cuites et les paquets ficelés, alors elles se déchaussèrent et dénouèrent leurs cheveux ; elles disposèrent sur le sol les cierges funéraires, les allumèrent selon le rite des ancêtres et s'assirent en rond par terre pour les lamentations, et toute la nuit elles prièrent et pleurèrent. Nous demeurâmes nombreux à leur porte, et nous sentîmes alors descendre dans notre âme, nouvelle pour nous, l'antique douleur du peuple qui n'a pas de patrie, la douleur sans espoir de l'exode que chaque siècle renouvelle.

L'aube nous prit en traître; comme si le soleil naissant se faisait le complice de ces hommes qui avaient résolu de nous exterminer. Les divers sentiments qui nous agitaient, l'acceptation consciente, la révolte sans issue, l'abandon à Dieu, la peur, le désespoir, se fondaient maintenant, après une nuit d'insomnie, en une irrépressible folie collective. Il n'était plus temps ni de réfléchir ni de décider, et toute velléité de raisonnement sombrait dans un tumulte d'émotions désordonnées d'où émergeaient par éclairs, douloureux comme des coups d'épée, si proches encore dans le temps et dans l'espace, les souvenirs heureux de nos foyers.

Bien des mots furent alors prononcés, bien des gestes accomplis, dont il vaut mieux taire le souvenir.

Avec la précision absurde à laquelle nous devions plus tard nous habituer, les Allemands firent l'appel. A la fin, l'officier demanda : « Wieviel Stück ? »; et le caporal répondit en claquant les talons que les « pièces » étaient au nombre de six cent cinquante et que tout était en ordre. On nous fit alors monter dans des autocars qui nous conduisirent à la gare de Carpi. C'est là que nous attendaient le train et l'escorte qui devait nous accompagner durant le voyage. C'est là que nous reçûmes les premiers coups : et la chose fut si inattendue, si insensée, que nous n'éprouvâmes nulle douleur ni dans le corps ni dans l'âme, mais seulement une profonde stupeur : comment pouvait-on frapper un homme sans colère ?

Il y avait douze wagons pour six cent cinquante personnes. Dans le mien nous n'étions que quarante-cinq, mais parce que le wagon était petit. Pas de doute, ce que nous avions sous les yeux, ce que nous sentions sous nos pieds, c'était un de ces fameux convois allemands, de ceux qui ne reviennent pas, et dont nous avions si souvent entendu parler, en tremblant, et vaguement incrédules. C'était bien cela, très exactement : des wagons de marchandises, fermés de l'extérieur, et dedans, entassés sans pitié comme un chargement en gros, hommes, femmes et enfants, en route pour le néant, la chute, le fond. Mais cette fois c'est nous qui sommes dedans.

Nous découvrons tous tôt ou tard dans la vie que le bonheur parfait n'existe pas, mais bien peu sont ceux qui s'arrêtent à cette considération inverse qu'il n'y a pas non plus de malheur absolu. Les raisons qui empêchent la réalisation de ces deux états limites sont du même ordre : elles tiennent à la nature même de l'homme, qui répugne à tout infini. Ce qui s'y oppose, c'est d'abord notre connaissance toujours imparfaite de l'avenir ; et cela s'appelle, selon le cas, espoir ou incertitude du lendemain. C'est aussi l'assurance de la mort, qui fixe un terme à la joie comme à la souffrance. Ce sont enfin les inévitables soucis matériels, qui, s'ils viennent troubler tout bonheur durable, sont aussi de continuels dérivatifs au malheur qui nous accable et, parce qu'ils le rendent

18

intermittent, le rendent du même coup supportable.

Ce sont justement les privations, les coups, le froid, la soif qui nous ont empêchés de sombrer dans un désespoir sans fond, pendant et après le voyage. Il n'y avait là de notre part ni volonté de vivre ni résignation consciente : rares sont les hommes de cette trempe, et nous n'étions que des spécimens d'humanité bien ordinaires.

Les portes s'étaient aussitôt refermées sur nous, mais le train ne s'ébranla que le soir. Nous avions appris notre destination avec soulagement : Auschwitz, un nom alors dénué de signification pour nous ; mais qui devait bien exister quelque part sur la terre.

Le train roulait lentement, faisant de longues haltes énervantes. A travers la lucarne, nous vîmes défiler les hauts rochers dépouillés de la vallée de l'Adige, les noms des dernières villes italiennes. Quand nous franchîmes le Brenner, le deuxième jour à midi, tout le monde se mit debout mais personne ne souffla mot. La pensée du retour ne me quittait pas, je me torturais à imaginer ce que pourrait être la joie surhumaine de cet autre voyage : les portes grandes ouvertes car personne ne penserait plus à fuir, et les premiers noms italiens... et je regardai autour de moi et me demandai combien, parmi cette misérable poussière humaine, seraient frappés par le destin.

Des quarante-cinq occupants de mon wagon, quatre seulement ont revu leur foyer, et ce fut de beaucoup le wagon le mieux loti.

La soif et le froid nous faisaient souffrir : à chaque arrêt, nous demandions de l'eau à grands cris, ou au moins une poignée de neige, mais notre appel fut rarement entendu ; les soldats de l'escorte éloignaient quiconque tentait de s'approcher du convoi. Deux jeunes mères qui avaient un enfant au sein gémissaient jour et nuit, implorant de l'eau. Nous supportions un peu mieux la faim, la fatigue et l'insomnie, rendues moins pénibles par la tension nerveuse ; mais les nuits étaient d'interminables cauchemars.

Rares sont les hommes capables d'aller dignement à la mort, et ce ne sont pas toujours ceux auxquels on s'attendrait. Bien peu savent se taire et respecter le silence d'autrui. Notre sommeil agité était souvent interrompu par des querelles futiles et bruyantes, des imprécations, des coups de pied et de poing décochés à l'aveuglette pour protester contre un contact fastidieux et inévitable. Alors quelqu'un allumait une bougie, et la lugubre clarté de la flamme laissait apparaître, sur le plancher du wagon, un enchevêtrement uniforme et continu de corps étendus, engourdis et souffrants, que soulevaient çà et là de brusques convulsions aussitôt interrompues par la fatigue.

De la lucarne, on voyait défiler des noms connus et inconnus de villes autrichiennes — Salzbourg, Vienne — puis tchèques, et enfin polonaises. Au soir du quatrième jour, le froid se fit intense : le train, qui traversait d'interminables sapinières noires, prenait visiblement de l'altitude. Partout, une épaisse couche de neige. Nous devions être sur une ligne secondaire, car les gares étaient petites et quasiment désertes. Durant les arrêts, personne ne tentait plus de communiquer avec le monde extérieur : désormais, nous nous sentions « de l'autre côté ». Il y eut une longue halte en rase campagne, puis un nouveau départ extrêmement lent, et enfin le convoi s'arrêta définitivement, en pleine nuit, au milieu d'une plaine silencieuse et sombre.

On voyait seulement, de part et d'autre de la voie, des files de points lumineux blancs et rouges, à perte de vue ; mais pas le moindre signe de cette rumeur confuse qui annonce de loin les lieux habités. A la faible lueur de la dernière bougie, dans le silence qui avait succédé au bruit rythmé des rails, en l'absence de tout son humain, nous attendîmes qu'il se produisît quelque chose.

Une femme avait passé tout le voyage à mes côtés, pressée comme moi entre un corps et un autre corps. Nous nous connaissions de longue date, et le malheur nous avait frappés ensemble, mais nous ne savions pas grand-chose l'un de l'autre. Nous nous dîmes alors, en cette heure décisive, des choses qui ne se disent pas entre vivants. Nous nous dîmes adieu, et ce fut bref : chacun prit congé de la vie en prenant congé de l'autre. Nous n'avions plus peur.

Et brusquement ce fut le dénouement. La portière s'ouvrit avec fracas ; l'obscurité retentit d'ordres hurlés dans une langue étrangère, et de ces aboiements barbares naturels aux Allemands quand ils commandent, et qui semblent libérer une hargne séculaire. Nous découvrîmes un large quai, éclairé par des projecteurs. Un peu plus loin, une file de camions. Puis tout se tut à nouveau. Quelqu'un traduisit les ordres : il fallait descendre avec les bagages et les déposer le long du train. En un instant, le quai fourmillait d'ombres ; mais nous avions peur de rompre le silence, et tous s'affairaient autour des bagages, se cherchaient, s'interpellaient, mais timidement, à mi-voix.

Une dizaine de SS, plantés sur leurs jambes écartées, se tenaient à distance, l'air indifférent. A un moment donné ils s'approchèrent, et sans éle-ver la voix, le visage impassible, ils se mirent à interroger certains d'entre nous en les prenant à part, rapidement : « Quel âge ? En bonne santé ou malade ? » et selon la réponse, ils nous indiquaient deux directions différentes.

Tout baignait dans un silence d'aquarium, de scène vue en rêve. Là où nous nous attendions à quelque chose de terrible, d'apocalyptique, nous trouvions, apparemment, de simples agents de police. C'était à la fois déconcertant et désarmant. Quelqu'un osa s'inquiéter des bagages : ils lui dirent « bagages, après » ; un autre ne voulait pas quitter sa femme : ils lui dirent « après, de nou-veau ensemble » ; beaucoup de mères refusaient de se séparer de leurs enfants : ils leur dirent « bon, bon, rester avec enfants ». Sans jamais se départir de la tranquille assurance de qui ne fait qu'accomplir son travail de tous les jours ; mais comme Renzo s'attardait un peu trop à dire adieu à Francesca, sa fiancée, d'un seul coup en pleine figure ils l'envoyèrent rouler à terre : c'était leur travail de tous les jours.

En moins de dix minutes, je me trouvai faire partie du groupe des hommes valides. Ce qu'il advint des autres, femmes, enfants, vieillards, il nous fut impossible alors de le savoir : la nuit les engloutit, purement et simplement. Aujourd'hui pourtant, nous savons que ce tri rapide et sommaire avait servi à juger si nous étions capables ou non de travailler utilement pour le Reich; nous savons que les camps de Buna-Monowitz et de Birkenau n'accueillirent respectivement que quatre-vingt-seize hommes et vingt-neuf femmes de notre convoi et que deux jours plus tard il ne restait de tous les autres — plus de cinq cents — aucun survivant. Nous savons aussi que même ce semblant de critère dans la discrimination entre ceux qui étaient reconnus aptes et ceux qui ne l'étaient pas ne fut pas toujours appliqué, et qu'un système plus expéditif fut adopté par la suite : on ouvrait les portières des wagons des deux côtés en même temps, sans avertir les nouveaux venus ni leur dire ce qu'il fallait faire. Ceux que le hasard faisait descendre du bon côté entraient dans le camp; les autres finissaient à la chambre à gaz.

Ainsi mourut la petite Emilia, âgée de trois ans, tant était évidente aux yeux des Allemands la nécessité historique de mettre à mort les enfants des juifs. Emilia, fille de l'ingénieur Aldo Levi de Milan, une enfant curieuse, ambitieuse, gaie, intelligente, à laquelle ses parents, au cours du voyage dans le wagon bondé, avaient réussi à faire prendre un bain dans une bassine de zinc, avec de l'eau tiède qu'un mécanicien allemand « dégénéré » avait consenti à prélever sur la réserve de la locomotive qui nous entraînait tous vers la mort.

Ainsi disparurent en un instant, par traîtrise, nos femmes, nos parents, nos enfants. Presque personne n'eut le temps de leur dire adieu. Nous les aperçûmes un moment encore, telle une masse sombre à l'autre bout du quai, puis nous ne vîmes plus rien.

A leur place surgirent alors, dans la lumière des lanternes, deux groupes d'étranges individus. Ils avançaient en rang par trois, d'un pas curieusement empêtré, la tête basse et les bras raides. Ils étaient coiffés d'un drôle de calot et vêtus d'une espèce de chemise rayée qu'on devinait crasseuse et déchirée en dépit de l'obscurité et de la distance. Ils décrivirent un large cercle de manière à ne pas trop s'approcher, et se mirent en silence à s'activer autour de nos bagages, faisant le va-et-vient entre le quai et les wagons vides.

Nous nous regardions sans souffler mot. Tout nous semblait incompréhensible et fou, mais une chose était claire : c'était là la métamorphose qui nous attendait. Demain, nous aussi nous serions comme eux.

Sans savoir comment, je me retrouvai dans un camion avec une trentaine d'autres. Le véhicule fila rapidement dans la nuit ; à cause de la bâche, on ne pouvait voir à l'extérieur, mais aux secousses on devinait que la route était sinueuse et accidentée. Et s'il n'y avait pas d'escorte ? Pourquoi ne pas sauter ?... Trop tard, trop tard, nous sommes tous entraînés vers le fond, vers notre fin à tous. D'ailleurs nous avons tôt fait de nous apercevoir que nous n'étions pas sans escorte ; étrange escorte : c'est un soldat allemand tout bardé d'armes ; il fait trop sombre pour que nous puissions le voir, mais nous sentons son rude contact à chaque fois qu'un cahot nous jette tous en tas, à droite ou à gauche. Le voilà qui allume une lampe électrique, et au lieu de crier « gare à vous, âmes noires[1] », il nous demande poliment si nous n'avons pas de l'argent ou des montres à lui donner, puisque de toute façon nous n'en aurons plus besoin après. Ce n'est ni un ordre ni une consigne réglementaire : on voit bien que c'est une petite initiative personnelle de notre Charon. Le procédé éveille en nous la colère et le rire, et un étrange soulagement.

---

1. Dante, *la Divine Comédie*, Enfer, ch. III. (Toutes les citations de Dante sont empruntées à la traduction d'Henri Longnon, publiée dans les Classiques Garnier.)

2

LE FOND

Le voyage ne dura qu'une vingtaine de minutes. Puis le camion s'est arrêté et nous avons vu apparaître une grande porte surmontée d'une inscription vivement éclairée (aujourd'hui encore, son souvenir me poursuit en rêve) : ARBEIT MACHT FREI, le travail rend libre.

Nous sommes descendus, on nous a fait entrer dans une vaste pièce nue, à peine chauffée. Que nous avons soif ! Le léger bruissement de l'eau dans les radiateurs nous rend fous : nous n'avons rien bu depuis quatre jours. Il y a bien un robinet, mais un écriteau accroché au-dessus dit qu'il est interdit de boire parce que l'eau est polluée. C'est de la blague, aucun doute possible, on veut se payer notre tête avec cet écriteau : « ils » savent que nous mourons de soif, et ils nous mettent dans une chambre avec un robinet, et Wassertrinken verboten. Je bois résolument et invite les autres à en faire autant ; mais il me faut recracher, l'eau est tiède, douceâtre et nauséabonde.

C'est cela, l'enfer. Aujourd'hui, dans le monde

actuel, l'enfer, ce doit être cela : une grande salle vide, et nous qui n'en pouvons plus d'être debout, et il y a un robinet qui goutte avec de l'eau qu'on ne peut pas boire, et nous qui attendons quelque chose qui ne peut être que terrible, et il ne se passe rien, il continue à ne rien se passer. Comment penser ? On ne peut plus penser, c'est comme si on était déjà mort. Quelques-uns s'assoient par terre. Le temps passe goutte à goutte.

Nous ne sommes pas morts ; la porte s'ouvre, et un SS entre, la cigarette à la bouche. Il nous examine sans se presser ; « Wer kann Deutsch ? » demande-t-il ; l'un de nous se désigne ; quelqu'un que je n'ai jamais vu et qui s'appelle Flesch ; ce sera lui notre interprète. Le SS fait un long discours d'une voix calme, et l'interprète traduit : il faut se mettre en rang par cinq, à deux mètres l'un de l'autre, puis se déshabiller en faisant un paquet de ses vêtements, mais d'une certaine façon : ce qui est en laine d'un côté, le reste de l'autre ; et enfin enlever ses chaussures, mais en faisant bien attention à ne pas se les faire voler.

Voler par qui ? Pourquoi devrait-on nous voler nos chaussures ? Et nos papiers, nos montres, le peu que nous avons en poche ? Nous nous tournons tous vers l'interprète. Et l'interprète interrogea l'Allemand, et l'Allemand, qui fumait toujours, le traversa du regard comme s'il était transparent, comme si personne n'avait parlé.

Je n'avais jamais vu de vieil homme nu. M. Bergmann, qui portait un bandage herniaire, demanda à l'interprète s'il devait l'enlever, et l'interprète hésita. Mais l'Allemand comprit, et parla d'un ton grave à l'interprète en indiquant quelqu'un; alors nous avons vu l'interprète avaler sa salive, puis il a dit : « L'adjudant vous demande d'ôter votre bandage, on vous donnera celui de M. Coen. » Ces mots-là avaient été prononcés d'un ton amer, c'était le genre d'humour qui plaisait à l'Allemand.

Arrive alors un autre Allemand, qui nous dit de mettre nos chaussures dans un coin; et nous obtempérons car désormais c'est fini, nous nous sentons hors du monde : il ne nous reste plus qu'à obéir. Arrive un type avec un balai, qui pousse toutes les chaussures dehors, en tas. Il est fou, il les mélange toutes, quatre-vingt-seize paires : elles vont être dépareillées. Un vent glacial entre par la porte ouverte : nous sommes nus et nous nous couvrons le ventre de nos bras. Un coup de vent referme la porte : l'Allemand la rouvre et reste là à regarder d'un air pénétré les contorsions que nous faisons pour nous protéger du froid les uns derrière les autres. Puis il s'en va en refermant derrière lui.

Nous voici maintenant au deuxième acte. Quatre hommes armés de rasoirs, de blaireaux et de tondeuses font irruption dans la pièce; ils ont des pantalons et des vestes rayés, et un numéro cousu sur la poitrine; ils sont peut-être de l'espèce de ceux de ce soir (de ce soir ou d'hier soir?); mais ceux-ci sont robustes et respirent la santé. Nous les assaillons de questions, mais eux nous empoignent et en un tournemain nous voilà rasés et tondus. Quelle drôle de tête on a sans cheveux ! Les quatre individus parlent une langue qui ne semble pas de ce monde ; en tout cas, ce n'est pas de l'allemand, sinon je saisirais quelques mots.

Finalement, une autre porte s'ouvre : nous nous retrouvons tous debout, nus et tondus, les pieds dans l'eau : c'est une salle de douches. On nous a laissés seuls, et peu à peu notre stupeur se dissipe et les langues se délient, tout le monde pose des questions et personne ne répond. Si nous sommes nus dans une salle de douches, c'est qu'ils ne vont pas encore nous tuer. Et alors pourquoi nous faire rester debout, sans boire, sans personne pour nous expliquer, sans chaussures, sans vêtements, nus, les pieds dans l'eau, avec le froid qu'il fait et après un voyage de cinq jours, et sans pouvoir nous asseoir ?

Et nos femmes ?

L'ingénieur Levi me demande si d'après moi les femmes sont dans la même situation que nous en ce moment, et où elles sont, et si nous pourrons les revoir. Bien sûr que nous les reverrons : je le réconforte parce qu'il est marié et père d'une petite fille ; mais mon idée est faite : je suis convaincu que tout cela n'est qu'une vaste mise en scène pour nous tourner en ridicule et nous humilier, après quoi, c'est clair, ils nous tueront ; ceux qui s'imaginent qu'ils vont vivre sont fous à lier, ils sont tombés dans le panneau, mais moi non, moi j'ai bien compris que la fin est pour bientôt, ici même peut-être, dans cette pièce, dès qu'ils se seront lassés de nous voir nus, nous dandiner d'un pied sur l'autre tout en essayant de temps en temps de nous asseoir sur le carrelage où dix centimètres d'eau froide nous en dissuadent invariablement.

Nous arpentons la pièce de long en large, dans un grand brouhaha de conversations entrecroisées. La porte s'ouvre, un Allemand entre, c'est l'adjudant de tout à l'heure ; il prononce quelques mots brefs que l'interprète traduit : « L'adjudant dit qu'il faut se taire, qu'on n'est pas dans une école rabbinique. » Les mots de l'Allemand, les mots odieux lui tordent la bouche quand il les prononce, comme s'il recrachait une nourriture dégoûtante. Nous le pressons de demander ce que nous attendons, pour combien de temps nous en avons encore, où sont nos femmes, tout : mais lui ne veut rien demander. Ce Flesch, si réticent à traduire en italien les phrases glaciales de l'Allemand, et qui refuse de transmettre nos questions en allemand car il sait que c'est inutile, est un juif allemand d'une cinquantaine d'années, avec sur le visage une grosse cicatrice provenant d'une blessure reçue en combattant contre les Italiens sur le Piave. C'est un homme renfermé et taciturne qui m'inspire un respect instinctif car je sens qu'il a commencé à souffrir avant nous.

L'Allemand s'en va, et nous nous taisons tout en ayant un peu honte de nous taire. Il faisait encore nuit, nous nous demandions si l'aube arriverait jamais. De nouveau la porte s'ouvre, cette fois sur un uniforme rayé. L'homme est différent des autres, plus âgé et beaucoup moins corpulent, avec des lunettes et une expression plus amène. Il nous parle, et en italien.

Désormais nous sommes à bout de surprises. Il nous semble assister à quelque drame extravagant, un de ces drames où défilent sur scène les sorcières, l'Esprit Saint et le démon. L'homme parle assez mal l'italien, avec un fort accent étranger. Il nous fait un long discours, puis s'efforce très aimablement de répondre à toutes nos questions.

Nous sommes à Monowitz, près d'Auschwitz, en Haute-Silésie : une région habitée à la fois par les Allemands et les Polonais. Ce camp est un camp de travail, en allemand Arbeitslager ; tous les prisonniers (qui sont environ dix mille) travaillent dans une usine de caoutchouc qui s'appelle la Buna, et qui a donné son nom au camp.

On va nous donner d'autres chaussures et d'autres habits ; non, pas les nôtres ; d'autres chaussures, d'autres habits, comme les siens. Pour le moment nous sommes nus parce que nous attendons la douche et la désinfection, qui auront lieu tout de suite après le réveil, parce qu'on n'entre pas au camp si on ne passe pas à la désinfection.

Bien sûr, il faudra travailler. Ici tout le monde travaille. Mais il y a travail et travail : lui par exemple, il est médecin de profession, il est hongrois mais a fait ses études de médecine en Italie ; et maintenant c'est le dentiste du Lager. Ça fait quatre ans qu'il est au Lager (pas à la Buna : la Buna n'existe que depuis un an et demi), et pourtant, comme on peut voir, il se porte bien, il n'est pas trop maigre. Pourquoi est-il au Lager ? Est-ce qu'il est juif comme nous ? « Non, dit-il avec simplicité, moi je suis un criminel. »

Nous le harcelons de questions, lui rit de temps en temps, répond à certaines et pas à d'autres ; on voit bien qu'il évite certains sujets. Il ne parle pas des femmes : il nous dit seulement qu'elles vont bien, que nous les reverrons bientôt, mais il ne dit ni où ni comment. Par contre il nous raconte autre chose, des histoires bizarres et extravagantes, peut-être se moque-t-il de nous lui aussi. Ou peut-être qu'il est fou : au Lager on devient fou. Il dit que tous les dimanches, il y a des concerts et des matches de football. Il dit que si on est fort en boxe on peut devenir cuisinier. Il dit que si on travaille bien, on reçoit des bons-primes et qu'avec ça on peut s'acheter du tabac et du savon. Il dit que c'est vrai que l'eau n'est pas potable, que par contre on a droit tous les jours à un ersatz de café mais que généralement personne n'en prend, la soupe qu'on nous donne étant suffisamment liquide pour apaiser la soif. Nous le pressons de nous procurer quelque chose à boire, mais il répond qu'il ne peut pas, qu'il est venu nous voir en cachette, que c'est interdit par les SS parce que nous ne sommes pas encore désinfectés, et qu'il doit repartir tout de suite. S'il est venu, c'est parce que les Italiens lui sont sympathiques, et aussi — ajoute-t-il — parce qu'« il a un peu de cœur ». Nous lui demandons encore s'il y a d'autres Italiens au camp ; il répond qu'il y en a quelques-uns, pas beaucoup, il ne sait pas exactement, et il détourne aussitôt la conversation. A ce moment-là une cloche retentit, et il nous quitte brusquement, nous laissant effarés et interdits. Si certains se sentent réconfortés, pas moi ; je continue à penser en moi-même que ce dentiste, cet individu incompréhensible, a voulu lui aussi nous jouer un mauvais tour, et je me refuse à croire un mot de ce qu'il a dit.

Au signal de la cloche, on a entendu la rumeur du camp qui s'éveille dans l'obscurité. D'un seul coup, l'eau jaillit des conduites, bouillante : cinq minutes de béatitude. Mais aussitôt après quatre hommes (les barbiers de tout à l'heure, peut-être) font irruption et, tout trempés et fumants, nous poussent à grand renfort de coups et de hurlements dans la pièce glacée qui se trouve à côté ; là, d'autres individus vociférants nous jettent à la volée des nippes indéfinissables et nous flanquent entre les mains une paire de godillots à semelle de bois ; en moins de temps qu'il n'en faut pour comprendre, nous nous retrouvons dehors dans la neige bleue et glacée de l'aube, trousseau en main, obligés de courir nus et déchaussés jusqu'à une autre baraque, à cent mètres de là. Et là enfin, on nous permet de nous habiller.

Cette opération terminée, chacun est resté dans son coin, sans oser lever les yeux sur les autres. Il n'y a pas de miroir, mais notre image est devant nous, reflétée par cent visages livides, cent pantins misérables et sordides. Nous voici transformés en ces mêmes fantômes entrevus hier au soir.

Alors, pour la première fois, nous nous apercevons que notre langue manque de mots pour exprimer cette insulte : la démolition d'un homme. En un instant, dans une intuition quasi prophétique, la réalité nous apparaît : nous avons touché le fond. Il est impossible d'aller plus bas : il n'existe pas, il n'est pas possible de concevoir condition humaine plus misérable que la nôtre. Plus rien ne nous appartient : ils nous ont pris nos vêtements, nos chaussures, et même nos cheveux ; si nous parlons, ils ne nous écouteront pas, et même s'ils nous écoutaient, ils ne nous comprendraient pas. Ils nous enlèveront jusqu'à notre nom : et si nous voulons le conserver, nous devrons trouver en nous la force nécessaire pour que derrière ce nom, quelque chose de nous, de ce que nous étions, subsiste.

Nous savons, en disant cela, que nous serons difficilement compris, et il est bon qu'il en soit ainsi. Mais que chacun considère en soi-même toute la valeur, toute la signification qui s'attache à la plus anodine de nos habitudes quotidiennes, aux mille petites choses qui nous appartiennent et que même le plus humble des mendiants possède : un mouchoir, une vieille lettre, la photographie d'un être cher. Ces choses-là font partie de nous presque autant que les membres de notre corps, et il n'est pas concevable en ce monde d'en être privé, qu'aussitôt nous ne trouvions à les remplacer par d'autres objets, d'autres parties de nous-mêmes qui veillent sur nos souvenirs et les font revivre.

Qu'on imagine maintenant un homme privé non seulement des êtres qu'il aime, mais de sa maison, de ses habitudes, de ses vêtements, de tout enfin, littéralement de tout ce qu'il possède : ce sera un homme vide, réduit à la souffrance et au besoin, dénué de tout discernement, oublieux de toute dignité : car il n'est pas rare, quand on a tout perdu, de se perdre soi-même ; ce sera un homme dont on pourra décider de la vie ou de la mort le cœur léger, sans aucune considération d'ordre humain, si ce n'est, tout au plus, le critère d'utilité. On comprendra alors le double sens du terme « camp d'extermination » et ce que nous entendons par l'expression « toucher le fond ».

Häftling : j'ai appris que je suis un Häftling. Mon nom est 174 517 ; nous avons été baptisés et aussi longtemps que nous vivrons nous porterons cette marque tatouée sur le bras gauche.

L'opération a été assez peu douloureuse et extrêmement rapide : on nous a fait mettre en rang par ordre alphabétique, puis on nous a fait défiler un par un devant un habile fonctionnaire muni d'une sorte de poinçon à aiguille courte. Il semble bien que ce soit là une véritable initiation : ce n'est qu'« en montrant le numéro » qu'on a droit au pain et à la soupe. Il nous a fallu bien des jours et bon nombre de gifles et de coups de poing pour nous habituer à montrer rapidement notre numéro afin de ne pas ralentir les opérations de distribution des vivres ; il nous a fallu des semaines et des mois pour en reconnaître le son en allemand. Et pendant plusieurs jours, lorsqu'un vieux réflexe me pousse à regarder l'heure à mon poignet, une ironique substitution m'y fait trouver mon nouveau nom, ce numéro gravé sous la peau en signes bleuâtres.

Ce n'est que beaucoup plus tard que certains d'entre nous se sont peu à peu familiarisés avec la funèbre science des numéros d'Auschwitz, qui résument à eux seuls les étapes de la destruction de l'hébraïsme en Europe. Pour les anciens du camp, le numéro dit tout : la date d'arrivée au camp, le convoi dont on faisait partie, la nationalité. On traitera toujours avec respect un numéro compris entre 30 000 et 80 000 : il n'en reste que quelques centaines, qui désignent les rares survivants des ghettos polonais. De même, il s'agit d'ouvrir l'œil si on doit entrer en affaires avec un 116 000 ou un 117 000 : ils ne sont plus qu'une quarantaine désormais, mais ce sont des Grecs de Salonique, et ils ont plus d'un tour dans leur sac. Quant aux gros numéros, il s'y attache une note essentiellement comique, comme aux termes de « bleus » ou de « conscrits » dans la vie courante : le gros numéro par excellence est un individu bedonnant, docile et niais, à qui vous pouvez faire croire qu'à l'infirmerie on distribue des chaussures en cuir pour pieds sensibles, et qui est capable sur votre instigation d'y courir séance tenante en vous laissant sa gamelle de soupe « à garder » ; vous pouvez lui vendre une cuillère pour trois rations de pain ; vous pouvez même l'envoyer demander (comme cela m'est arrivé !)

au Kapo le plus féroce du camp si c'est bien lui qui commande le Kartoffelschälkommando, le Kommando d'Épluchage de Patates, et s'il est possible de s'y faire enrôler.

C'est d'ailleurs tout le processus d'intégration dans cet univers nouveau, qui nous apparaît sous un jour grotesque et dérisoire.

L'opération de tatouage achevée, on nous a enfermés dans une baraque où on nous a laissés seuls. Les couchettes sont faites, mais on nous a formellement interdit d'y toucher et de nous asseoir dessus : nous passons donc la demi-journée à tourner en rond dans le peu d'espace disponible, toujours tenaillés par la soif. Puis la porte s'ouvre, un garçon en costume rayé entre, petit, maigre, blond, l'air plutôt poli. Il parle français ; nous nous précipitons sur lui à plusieurs, le submergeant de toutes les questions que nous nous sommes jusque-là vainement posées entre nous.

Mais il n'a pas envie de parler ; ici, personne ne parle volontiers. Nous sommes nouveaux, nous n'avons rien et nous ne savons rien, à quoi bon perdre son temps avec nous ? Il nous explique de mauvaise grâce que tous les autres sont au travail et qu'ils rentreront le soir. Lui, il est sorti ce matin de l'infirmerie, et pour aujourd'hui on l'a dispensé de travail. Je lui ai alors demandé (avec une naïveté qui devait me paraître inouïe dès les jours suivants) si on nous rendrait au moins nos brosses à dents ; et lui, sans rire, m'a lancé avec un air de profond mépris : « *Vous n'êtes pas à la mai-*

son[1]. » C'est le refrain que nous nous entendons répéter de partout : vous n'êtes plus chez vous ; ce n'est pas un sanatorium, ici ; d'ici, on n'en sort que par la cheminée (le sens de ces paroles, nous ne devions que trop bien le comprendre par la suite).

Et justement, poussé par la soif, j'avise un beau glaçon sur l'appui extérieur d'une fenêtre. J'ouvre, et je n'ai pas plus tôt détaché le glaçon, qu'un grand et gros gaillard qui faisait les cent pas dehors vient à moi et me l'arrache brutalement. « Warum ? » dis-je dans mon allemand hésitant. « Hier ist kein warum » (ici il n'y a pas de pourquoi), me répond-il en me repoussant rudement à l'intérieur.

L'explication est monstrueuse, mais simple : en ce lieu, tout est interdit, non certes pour des raisons inconnues, mais bien parce que c'est là précisément toute la raison d'être du Lager. Si nous voulons y vivre, il nous faudra le comprendre, et vite.

> *... Ici, le Saint-Voult ne se montre ;*
> *Ici, l'on nage autrement qu'en ton Serque*[2]

1. En français dans le texte original, comme le sont également les autres phrases et les autres mots qui figurent en italique dans ce récit.
2. Dante, *la Divine Comédie,* Enfer, ch. XXI. Le Saint-Voult était un antique crucifix byzantin qu'on vénérait à Lucques, en Toscane, et qu'on y montrait en procession. Quant au Serque — en italien *il Serchio* —, c'est une rivière proche de Lucques dans les eaux de laquelle les habitants de

Heure après heure, cette première et interminable journée, prélude à l'enfer qui nous attend, touche à sa fin. Tandis que le soleil se couche dans un sinistre amoncellement de nuages sanglants, on nous fait finalement sortir de la baraque. Vont-ils nous donner à boire ? Non, ils nous font mettre en rang une fois de plus, nous conduisent sur une vaste place qui occupe le centre du camp et nous y disposent en formation carrée. Après quoi, plus rien pendant une heure. Il semble qu'on attende quelqu'un.

Près de l'entrée, une fanfare commence à jouer : elle joue *Rosamunda*, la chansonnette sentimentale du moment, et cela nous semble tellement absurde que nous nous regardons entre nous en riant nerveusement ; nous nous sentons comme soulagés, tout ce rituel n'est peut-être qu'une énorme farce dans le goût teutonique. Mais aussitôt après *Rosamunda,* la fanfare attaque des marches, les unes après les autres, et voici qu'apparaissent les bataillons de camarades qui rentrent du travail. Ils avancent en rang par cinq : leur démarche est bizarre, contractée, rigide, on dirait des bonshommes de bois ; mais ils suivent scrupuleusement le rythme de la fanfare.

cette ville avaient coutume de se baigner. Ce que laissent entendre les deux vers cités ci-dessus, et hurlés par les démons à l'intention d'un damné lucquois, c'est que c'en est bien fini pour lui de sa vie d'autrefois. Il est clair que cela vaut également pour les déportés du Lager.

A leur tour ils se rangent sur la grande place, selon un ordre rigoureusement établi. Le dernier bataillon arrivé, on nous compte et nous recompte, des contrôles minutieux sont effectués sous les ordres, semble-t-il, d'un individu en costume rayé, qui en réfère ensuite à un petit groupe de SS en tenue de campagne.

Finalement (il fait nuit maintenant, mais le camp est vivement éclairé par des projecteurs et de grosses lanternes) on entend crier « Absperre ! », et en un instant les équipes s'éparpillent en tous sens dans la confusion et le brouhaha. Mais maintenant plus personne n'a le pas raide et le torse bombé comme tout à l'heure, chacun se traîne avec un effort manifeste. Je remarque que tous portent à la main ou à la ceinture une écuelle en fer-blanc à peu près aussi grande qu'une bassine.

Nous aussi, les nouveaux venus, nous nous mêlons à la foule à la recherche d'une voix, d'un visage ami, d'un guide. Appuyés au mur en bois d'une baraque, j'aperçois deux garçons assis par terre. Ils paraissent très jeunes, seize ans au maximum, leurs mains et leur visage sont couverts de suie. L'un d'eux m'appelle au passage et me pose en allemand des questions que je ne comprends pas ; puis il me demande d'où nous venons. « Italien », dis-je. J'aurais des tas de choses à lui demander, mais mes possibilités en allemand sont limitées.

— Tu es juif ?

— Oui, juif polonais.

— Depuis combien de temps es-tu au Lager ?

— Trois ans.

Et il lève trois doigts. Je me dis avec horreur qu'il a dû y entrer encore enfant ; par ailleurs, c'est signe qu'il y a quand même des gens qui réussissent à vivre ici.

— Quel est ton travail ?

— Schlosser, répond-il.

Je ne comprends pas.

— Eisen, Feuer (fer, feu), insiste-t-il.

Et avec les mains il fait le geste de frapper sur une enclume avec un marteau. Il est forgeron.

— Ich Chemiker (Moi chimiste), dis-je.

Il acquiesce gravement d'un signe de tête :

— Chemiker, gut.

Mais tout cela concerne un avenir lointain : ce qui me tourmente pour le moment, c'est la soif.

— Boire, eau. Nous pas d'eau, lui dis-je.

Il me regarde d'un air grave, presque sévère, et prononce en scandant chacune de ses paroles :

— Ne bois pas d'eau, camarade.

Et il ajoute quelque chose d'autre que je ne comprends pas.

— Warum ?

— Geschwollen, répond-il télégraphiquement.

Je secoue la tête, je n'ai pas compris.

— Gonflé, parvient-il à me faire comprendre en esquissant avec ses mains un visage et un ventre monstrueusement gros.

— Warten bis heute abend.

Je traduis mot à mot : « attendre jusqu'à ce soir ». Puis il me dit :

— Ich Schlome. Du?

Je lui dis mon nom et il me demande :

— Où ta mère?

— En Italie.

Schlome est tout étonné :

— Juive en Italie?

— Oui.

Et je cherche à lui expliquer de mon mieux :

— Cachée, personne sait, se sauver, ne pas parler, ne voir personne.

Il a compris; il se lève, s'approche de moi et, timidement, me serre dans ses bras. L'aventure est terminée, et je me sens plein d'une tristesse sereine qui est presque de la joie. Je n'ai jamais plus revu Schlome, mais je n'ai pas oublié son visage d'enfant, grave et doux, qui m'a accueilli sur le seuil de la maison des morts.

Il nous reste énormément de choses à apprendre, mais nous en savons déjà pas mal. Nous avons une idée de la topographie du Lager; c'est un carré d'environ six cents mètres de côté, clôturé par deux rangs de barbelés, dont le plus proche de nous est parcouru par un courant à haute tension. Le camp se compose de soixante baraques en bois, qu'ici on appelle Blocks, dont une dizaine sont en construction; à quoi s'ajoutent le corps des cuisines, qui est en maçonnerie, une ferme expérimentale tenue par un groupe de Häftlinge privilégiés, et les baraques des douches et des latrines, une tous les six ou huit Blocks. Certains Blocks, en outre, sont affectés à des usages particuliers. D'abord l'infirmerie et le dispensaire, constitués par huit baraques situées à l'extrémité est du camp; puis le Block 24, le Krätzeblock, réservé aux galeux; le Block 7, formellement interdit aux Häftlinge ordinaires et réservé à la « Prominenz », c'est-à-dire à l'aristocratie, aux internés qui détiennent les fonctions les plus importantes; le Block 47, réservé aux Reichsdeutsche (Aryens allemands, politiques ou criminels); le Block 49, pour Kapos uniquement; le Block 12, dont une moitié, destinée aux Reichsdeutsche et aux Kapos, sert de Kantine, c'est-à-dire de comptoir où l'on débite du tabac, de la poudre insecticide et d'autres articles accessoirement; le Block 37, qui abrite le Bureau principal et le Bureau du travail; et enfin le Block 29 reconnaissable à ses fenêtres toujours fermées, car c'est le Frauenblock, le bordel du camp réservé aux Reichsdeutsche, et où opèrent des Häftlinge polonaises.

Les Blocks ordinaires d'habitation comprennent deux pièces; la première, le Tagesraum, où vivent le chef de baraque et ses amis : on y trouve une longue table, des chaises et des bancs, et toutes sortes d'objets de couleurs vives disséminés un peu partout, photographies, illustrations découpées dans des revues, dessins, fleurs artificielles, bibelots; sur les parois, des inscriptions en grosses lettres, des proverbes, des poèmes de quatre sous à la gloire de l'ordre, de la discipline et de l'hygiène; dans un coin, une vitrine contenant les instruments du Blockfrisör (le barbier du Block), les louches pour la distribution de la soupe et deux matraques en caoutchouc, l'une creuse et l'autre pleine, pour le maintien de la discipline. L'autre pièce est le dortoir; il contient cent quarante-huit couchettes disposées sur trois niveaux et divisées par trois couloirs, et aussi serrées que les alvéoles d'une ruche, de manière à utiliser la totalité du volume disponible, jusqu'au plafond; c'est là que vivent les Häftlinge ordinaires, à raison de deux cents à deux cent cinquante par baraque, soit deux hommes dans la plupart des couchettes, qui sont des bat-flanc mobiles pourvus chacun d'une mince paillasse et de deux couvertures. Les couloirs de dégagement sont si étroits que deux personnes ont du mal à y passer de front, et la surface de plancher si réduite que tous les occupants d'un même Block ne peuvent y tenir ensemble que si la moitié d'entre eux sont allongés sur les couchettes. D'où l'interdiction de pénétrer dans un Block dont on ne fait pas partie.

Le centre du Lager est occupé par l'immense place de l'Appel. C'est là qu'a lieu le rassemblement, le matin pour former les équipes de travail, le soir pour nous compter. En face de la place de l'Appel se trouve une pelouse soigneusement tondue, où l'on dresse la potence en cas de besoin.

Nous avons vite appris que les occupants du Lager se répartissent en trois catégories : les prisonniers de Droit commun, les prisonniers politiques et les juifs. Tous sont vêtus de l'uniforme rayé, tous sont Häftlinge, mais les Droit commun portent à côté du numéro, cousu sur leur veste, un triangle vert; les politiques un triangle rouge; les juifs, qui sont la grande majorité, portent l'étoile juive, rouge et jaune. Quant aux SS, il y en a, mais pas beaucoup, ils n'habitent pas dans le camp et on ne les voit que rarement. Nos véritables maîtres, ce sont les triangles verts qui peuvent faire de nous ce qu'ils veulent, et puis tous ceux des deux autres catégories qui acceptent de les seconder, et ils sont légion.

Mais il y a bien d'autres choses encore que nous avons apprises, plus ou moins rapidement selon le caractère de chacun ; à répondre « Jawohl », à ne jamais poser de questions, à toujours donner l'impression qu'on a compris. Nous avons appris la valeur de la nourriture ; nous aussi maintenant nous raclons soigneusement le fond de notre gamelle de soupe, et nous la tenons sous notre menton quand nous mangeons notre pain, pour ne pas en perdre une miette. A présent nous savons nous aussi qu'il y a une belle différence entre une louche de soupe prise sur le dessus de la marmite et une prise au fond, et nous sommes déjà en mesure de calculer, en fonction de la contenance des différents récipients, quelle est la meilleure place à prendre dans la queue.

Nous avons appris que tout sert : le fil de fer pour attacher les chaussures ; les chiffons pour en faire des chaussettes russes ; le papier pour en rembourrer (clandestinement) nos vestes et nous protéger du froid. Nous avons appris du même coup que tout peut nous être volé, ou plutôt que tout est automatiquement volé au moindre instant d'inattention ; et pour nous prémunir contre ce fléau, nous avons dû apprendre à dormir la tête sur un paquet fait de notre veste et contenant tout notre avoir, de la gamelle aux chaussures.

Nous connaissons déjà en grande partie le règlement du camp, qui est incroyablement compliqué ; les interdictions sont innombrables : interdiction de s'approcher à plus de deux mètres des barbelés ; de dormir avec sa veste, ou sans caleçons, ou le calot sur la tête ; d'entrer dans les lavabos ou les latrines « nur für Kapos » ou « nur für Reichsdeutsche » ; de ne pas aller à la douche les jours prescrits, et d'y aller les jours qui ne le sont pas ; de sortir de la baraque la veste déboutonnée ou le col relevé ; de mettre du papier ou de la paille sous ses habits pour se défendre du froid ; de se laver autrement que torse nu.

Les rites à accomplir sont infinis et insensés : tous les matins, il faut faire son « lit » de manière qu'il soit parfaitement lisse et plat ; il faut astiquer ses sabots boueux et répugnants avec de la graisse de machine réservée à cet usage, racler les taches de boue de ses habits (les taches de peinture, de gras et de rouille sont admises) ; le soir, il faut passer au contrôle des poux et au contrôle du lavage de pieds ; le samedi, il faut se faire raser la barbe et les cheveux, raccommoder ou faire raccommoder ses hardes ; le dimanche, c'est le contrôle général de la gale et le contrôle des boutons de veste, qui doivent correspondre au nombre réglementaire : cinq.

Sans compter les innombrables circonstances, insignifiantes en elles-mêmes, qui deviennent ici de véritables problèmes. Quand les ongles poussent, il faut les couper, et nous ne pouvons le faire qu'avec les dents (pour les ongles des pieds, le frottement des souliers suffit) ; si on perd un bouton, il faut savoir le faire tenir avec un fil de fer ; si on va aux latrines ou aux lavabos, il faut emporter avec soi tout son attirail sans le lâcher un seul instant, quitte à tenir ses habits roulés en boule et serrés entre les genoux pendant qu'on se lave la figure : sinon, ils disparaissent à la minute. Si un soulier fait mal, il faut se présenter le soir à la cérémonie de l'échange des chaussures ; c'est le moment ou jamais de montrer son adresse : au milieu d'une effroyable cohue, il faut savoir repérer au premier coup d'œil non pas *la bonne paire,* mais *le bon soulier,* car une fois le choix fait, il n'est plus possible d'en changer.

Et que l'on n'aille pas croire que dans la vie du Lager, les souliers constituent un facteur négligeable. La mort commence par les souliers : ils se sont révélés être pour la plupart d'entre nous de véritables instruments de torture qui provoquaient au bout de quelques heures de marche des plaies douloureuses destinées à s'infecter. Celui qui a mal aux pieds est obligé de marcher comme s'il traînait un boulet (d'où l'allure bizarre de l'armée de larves qui rentre chaque soir au pas militaire) ; il arrive bon dernier partout, et partout reçoit des coups ; il ne peut pas courir si on le poursuit ; ses pieds enflent, et plus ils enflent, plus le frottement contre le bois et la toile du soulier devient insupportable. Alors il ne lui reste plus que l'hôpital :

mais il est extrêmement dangereux d'entrer à l'hôpital avec le diagnostic de « dicke Füsse » (pieds enflés), car personne n'ignore, et les SS moins que quiconque, que c'est un mal dont on ne guérit pas.

Avec tout cela nous n'avons encore rien dit du travail, qui représente à lui seul un véritable labyrinthe de lois, de tabous et de difficultés.

Ici, tout le monde travaille sauf les malades (se faire porter malade suppose un imposant bagage de connaissances et d'expériences). Tous les matins, pour aller à la Buna, nous sortons du camp en bataillons, et tous les soirs nous y rentrons de la même façon. En ce qui concerne le travail proprement dit, nous sommes répartis en deux cents Kommandos environ, dont chacun peut aller de quinze à cent cinquante hommes commandés par un Kapo. Il y a les bons et les mauvais Kommandos : la plupart sont affectés au transport de matériel, et le travail y est dur, notamment l'hiver, ne fût-ce que parce qu'il se fait en plein air. Mais il y a aussi les Kommandos de spécialistes (électriciens, forgerons, maçons, soudeurs, mécaniciens, cimentiers, etc.), qui opèrent chacun dans tel ou tel atelier ou secteur de la Buna, et dépendent plus directement de contremaîtres civils, les Meister, le plus souvent allemands ou polonais ; cela, pendant les heures de travail uniquement : le reste de la journée, les spécialistes (qui ne sont pas plus de trois ou quatre cents en tout) sont traités exactement comme les travailleurs ordinaires. C'est un bureau spécial du Lager, l'Arbeitsdienst, placé en contact permanent avec la direction de la Buna, qui s'occupe d'affecter les hommes dans les différents Kommandos. L'Arbeitsdienst décide en fonction de critères inconnus, et souvent, manifestement, sur la base de recommandations et de pots-de-vin ; de sorte que celui qui réussit à se procurer à manger en dehors du règlement est pratiquement sûr d'obtenir du même coup un poste intéressant à la Buna.

L'horaire de travail varie avec la saison. On travaille tant qu'il fait jour : aussi passe-t-on d'un horaire minimum l'hiver (de 8 heures à 12 heures et de 12 h 30 à 16 heures) à un horaire maximum l'été (de 6 h 30 à 12 heures et de 13 heures à 18 heures). En aucun cas les Häftlinge ne peuvent travailler quand il fait nuit ou lorsque le brouillard est intense, alors que le travail a lieu régulièrement par temps de pluie ou de neige, ou (et c'est très fréquent) lorsque souffle le terrible vent des Carpates ; cela, pour la simple raison que l'obscurité ou le brouillard pourraient favoriser les tentatives de fuite.

Un dimanche sur deux est un jour de travail. Et comme les dimanches dits fériés se passent en réalité à travailler à l'entretien du Lager au lieu de travailler à la Buna, les jours de repos effectif sont extrêmement rares.

Telle sera notre vie. Chaque jour, selon le rythme établi, Ausrücken et Einrücken, sortir et rentrer, dormir et manger ; tomber malade, guérir ou mourir.

... Jusqu'à quand ? Les anciens rient quand on leur pose cette question : il n'y a que les « bleus » pour poser des questions pareilles. Ils rient sans répondre ; il y a des mois et des années que la perspective d'un lointain avenir a perdu pour eux toute forme précise et tout intérêt face aux problèmes bien plus urgents et concrets du futur proche : combien aura-t-on à manger aujourd'hui, est-ce qu'il va neiger ? Est-ce qu'on va nous faire décharger du charbon ?

Si nous étions sages, nous nous rendrions à l'évidence : notre destin est parfaitement impénétrable, toute conjecture est arbitraire et littéralement dépourvue de fondement. Mais les hommes sont rarement sages quand il y va de leur vie ; ils préfèrent en tout cas les positions extrêmes ; ainsi chacun de nous, selon son caractère, s'est aussitôt pénétré de l'idée que tout était perdu, que la vie ici était impossible, que notre fin était certaine et proche ; ou au contraire que, malgré la dure vie qui nous attendait, nous serions probablement sauvés d'ici peu, et qu'avec de la foi et du courage, nous reverrions nos maisons et tous ceux que nous aimons. Les deux partis, les pessimistes et les optimistes, ne sont pas pour autant bien distincts : non que les sans-opinion soient nombreux, mais la plupart d'entre nous passent d'un extrême à l'autre sans rime ni raison, selon l'interlocuteur et le moment.

J'ai donc touché le fond. On apprend vite en cas de besoin à effacer d'un coup d'éponge passé et futur. Au bout de quinze jours de Lager, je connais déjà la faim réglementaire, cette faim chronique que les hommes libres ne connaissent pas, qui fait rêver la nuit et s'installe dans toutes les parties de notre corps ; j'ai déjà appris à me prémunir contre le vol, et si je tombe sur une cuillère, une ficelle, un bouton que je puisse m'approprier sans être puni, je l'empoche et le considère à moi de plein droit. Déjà sont apparues sur mes pieds les plaies infectieuses qui ne guériront pas. Je pousse des wagons, je manie la pelle, je fonds sous la pluie et je tremble dans le vent. Déjà mon corps n'est plus mon corps. J'ai le ventre enflé, les membres desséchés, le visage bouffi le matin et creusé le soir ; chez certains, la peau est devenue jaune, chez d'autres, grise ; quand nous restons trois ou quatre jours sans nous voir, nous avons du mal à nous reconnaître.

Nous avions décidé de nous retrouver entre Italiens, tous les dimanches soir, dans un coin du Lager ; mais nous y avons bientôt renoncé parce que c'était trop triste de se compter et de se retrouver à chaque fois moins nombreux, plus hideux et plus sordides. Et puis c'était si fatigant de faire ces quelques pas, et puis se retrouver, c'était se rappeler et penser, et ce n'était pas sage.

3

INITIATION

Après quelques jours de flottement, pendant lesquels on me renvoie de Block en Block et de Kommando en Kommando, un soir enfin on m'affecte au Block 30. Il est déjà tard et on m'indique une couchette dans laquelle je retrouve Diena, déjà endormi, Diena se réveille et bien qu'épuisé me fait place et m'accueille amicalement.

Mais je n'ai pas sommeil, ou plutôt mon besoin de sommeil est momentanément neutralisé par un état de tension et d'anxiété dont je ne suis pas encore parvenu à me libérer, et qui me pousse à parler et parler sans pouvoir m'arrêter.

J'ai trop de choses à demander. J'ai faim, et quand on distribuera la soupe demain, comment ferai-je pour la manger sans cuillère ? Et comment fait-on pour avoir une cuillère ? Et où est-ce qu'ils m'enverront travailler ? Diena n'en sait naturellement pas plus que moi, et répond à mes questions par d'autres questions. Mais voilà que d'en haut, d'en bas, de près, de loin, de tous les coins de la baraque, des voix ensommeillées et furibondes me crient : « Ruhe, Ruhe ! »

Je comprends qu'on m'ordonne de me taire, mais comme ce mot est nouveau pour moi et que je n'en connais pas le sens ni les implications, mon inquiétude ne fait que croître. Le mélange des langues est un élément fondamental du mode de vie d'ici ; on évolue dans une sorte de Babel permanente où tout le monde hurle des ordres et des menaces dans des langues parfaitement inconnues, et tant pis pour ceux qui ne saisissent pas au vol. Ici, personne n'a le temps, personne n'a la patience, personne ne vous écoute ; nous, les derniers arrivés, nous nous regroupons instinctivement dans les coins, en troupeau, pour nous sentir les épaules matériellement protégées.

Je renonce donc à mes questions et sombre rapidement dans un sommeil âpre et tendu qui ne me laisse en réalité aucun moment de répit : je me sens menacé, traqué, je suis prêt à tout instant à me raidir en un réflexe de défense. Je rêve, et je rêve que je dors sur une route, sur un pont, en travers d'une porte au beau milieu d'un va-et-vient continuel. Mais voici que j'entends — qu'il est tôt encore ! — la cloche du réveil. La baraque tout entière s'ébranle, les lumières s'allument, une frénésie collective s'empare soudain de tous les occupants. Ils secouent les couvertures en soulevant des nuages de poussière fétide, s'habillent avec une hâte fébrile, se précipitent dehors à moitié nus dans un froid glacial, courent vers les latrines et les lavabos ; beaucoup, bestialement, urinent en courant pour gagner du temps, car dans cinq minutes c'est la distribution du pain-Brot-Broit-chleb-pane-lechem-kenyér, du sacro-saint petit cube gris, qui semble énorme dans la main du voisin, et petit à pleurer dans la vôtre. C'est une hallucination quotidienne à laquelle on finit par s'habituer, mais dans les premiers temps elle est si irrésistible que beaucoup d'entre nous, après de longs palabres à deux sur la malchance manifeste et constante de l'un et la chance insolente de l'autre, finissent par échanger leurs rations, pour voir l'illusion se recréer aussitôt en sens inverse, nous laissant tous frustrés et mécontents.

Le pain est également notre seule monnaie d'échange : durant les quelques minutes qui s'écoulent entre la distribution et la consommation, le Block retentit d'appels, de disputes et de poursuites. Ce sont les créanciers d'hier qui réclament leur dû dans les courts instants où le débiteur est solvable. Après quoi un calme relatif s'établit, et beaucoup en profitent pour retourner aux latrines fumer une moitié de cigarette ou aux lavabos pour se laver un peu plus sérieusement.

Les lavabos sont un lieu peu accueillant : une salle mal éclairée et remplie de courants d'air, avec un sol de briques recouvert d'une couche de boue ; l'eau n'est pas potable, elle a une odeur écœurante et reste souvent coupée pendant des heures. Les murs sont décorés de curieuses fresques édifiantes : on y voit par exemple le bon Häftling, représenté torse nu en train de savonner avec enthousiasme un crâne rose et bien tondu, tandis que le mauvais Häftling, affligé d'un nez crochu fortement accusé et d'un teint verdâtre, engoncé dans des habits tout tachés, trempe un doigt prudent dans l'eau du lavabo. Sous le premier on lit : « So bist du rein » (comme ça, tu es propre), sous le second : « So gehst du ein » (comme ça, tu cours à ta perte) ; et plus bas, dans un français approximatif mais en caractères gothiques : « *La propreté, c'est la santé.* »

Sur le mur d'en face trône un énorme pou, blanc, rouge et noir, orné de l'inscription : « Eine Laus, deine Tod » (un pou, c'est ta mort) et suivi de ces vers inspirés :

Nach dem Abort, vor dem Essen
Hände waschen, nicht vergessen
(Après les latrines, avant de manger,
Lave-toi les mains, ne l'oublie jamais.)

Pendant des semaines, j'ai considéré ces incitations à l'hygiène comme de simples traits d'esprit typiquement germaniques, du même goût que la plaisanterie sur le bandage herniaire qui nous avait accueillis à notre entrée au Lager. Mais j'ai compris ensuite que leurs auteurs anonymes avaient effleuré, sans doute à leur insu, quelques vérités importantes. Ici, se laver tous les jours dans l'eau trouble d'un lavabo immonde est une opération pratiquement inutile du point de vue de l'hygiène et de la santé, mais extrêmement importante comme symptôme d'un reste de vitalité, et nécessaire comme instrument de survie morale.

Je dois l'avouer : au bout d'une semaine de captivité, le sens de la propreté m'a complètement abandonné. Me voilà traînant les pieds en direction des robinets, lorsque je tombe sur l'ami Steinlauf, torse nu, occupé à frotter son cou et ses épaules de quinquagénaire sans grand résultat (il n'a pas de savon) mais avec une extrême énergie. Steinlauf m'aperçoit, me dit bonjour et de but en blanc me demande sévèrement pourquoi je ne me lave pas. Et pourquoi devrais-je me laver ? Est-ce que par hasard je m'en trouverais mieux ? Est-ce que je plairais davantage à quelqu'un ? Est-ce que je vivrais un jour, une heure de plus ? Mais pas du tout, je vivrais moins longtemps parce que se laver représente un effort, une dépense inutile de chaleur et d'énergie. Est-ce que par hasard Steinlauf aurait oublié qu'au bout d'une demi-heure passée à décharger des sacs de charbon, il n'y aura plus aucune différence entre lui et moi ? Plus j'y pense et plus je me dis que se laver la figure dans des conditions pareilles est une activité absurde, sinon frivole : une habitude machinale ou, pis encore, la lugubre répétition d'un rite révolu. Nous mourrons tous, nous allons mourir bientôt : s'il me reste dix minutes entre le lever et le travail, j'ai mieux à faire, je veux rentrer en moi-même, faire le point, ou regarder le ciel et me dire que je le vois peut-être pour la dernière fois ; ou même, simplement, me laisser vivre, m'accorder le luxe d'un minuscule moment de loisir.

Mais Steinlauf me rabroue. Sa toilette terminée, le voilà maintenant en train de s'essuyer avec la veste de toile qu'il tenait jusque-là roulée en boule entre ses genoux et qu'il enfilera ensuite, et sans interrompre l'opération il entreprend de me donner une leçon en règle.

Je ne me souviens plus aujourd'hui, et je le regrette, des mots clairs et directs de Steinlauf, l'ex-sergent de l'armée austro-hongroise, croix de fer de la guerre de 14-18. Je le regrette, parce qu'il me faudra traduire son italien rudimentaire et son discours si clair de brave soldat dans mon langage d'homme incrédule. Mais le sens de ses paroles, je l'ai retenu pour toujours : c'est justement, disait-il, parce que le Lager est une monstrueuse machine à fabriquer des bêtes, que nous ne devons pas devenir des bêtes ; puisque même ici il est possible de survivre, nous devons vouloir survivre, pour raconter, pour témoigner ; et pour vivre, il est important de sauver au moins l'ossature, la charpente, la forme de la civilisation. Nous sommes des esclaves, certes, privés de tout droit, en butte à toutes les humiliations, voués à une mort presque certaine, mais il nous reste encore une ressource et nous devons la défendre avec acharnement parce que c'est la dernière : refuser notre consentement. Aussi est-ce pour nous un devoir envers nous-mêmes que de nous laver le visage sans savon, dans de l'eau sale, et de nous essuyer avec notre veste. Un devoir, de cirer nos souliers, non certes parce que c'est écrit dans le règlement, mais par dignité et par propriété. Un devoir enfin de nous tenir droits et de ne pas traîner nos sabots, non pas pour rendre hommage à la discipline prussienne, mais pour rester vivants, pour ne pas commencer à mourir.

Tel fut le discours de Steinlauf, homme de bonne volonté : discours accueilli avec une sorte d'étonnement par des oreilles déshabituées, discours compris et accepté en partie seulement, et adouci par une doctrine plus abordable, plus souple et plus modérée, celle-là même qui se transmet depuis des siècles en deçà des Alpes, et selon laquelle entre autres, il n'est pas plus grande vanité que de prétendre absorber tels quels les grands systèmes de morale élaborés par d'autres peuples sous d'autres cieux. Non, la sagesse et la vertu de Steinlauf, bonnes pour lui sans aucun doute, ne me suffisent pas. Face à l'inextricable dédale de ce monde infernal, mes idées sont confuses : est-il vraiment nécessaire d'élaborer un système et de l'appliquer ? N'est-il pas plus salutaire de prendre conscience qu'on n'a pas de système ?

4

K.B.

Les jours se ressemblent tous et il n'est pas facile de les compter. J'ai oublié depuis combien de jours nous faisons la navette, deux par deux, entre la voie ferrée et l'entrepôt : une centaine de mètres de terrain en dégel, à l'aller écrasés sous le poids de la charge, au retour les bras ballants, sans parler.

Autour de nous, tout est hostile. Sur nos têtes, les nuages mauvais défilent sans interruption pour nous dérober le soleil. De toutes parts, l'étreinte sinistre du fer en traction. Nous n'avons jamais vu où ils finissent, mais nous sentons la présence maligne des barbelés qui nous tiennent séparés du monde. Et sur les échafaudages, sur les trains en manœuvre, sur les routes, dans les tranchées, dans les bureaux, des hommes et des hommes, des esclaves et des maîtres, et les maîtres eux-mêmes esclaves ; la peur gouverne les uns, la haine les autres ; tout autre sentiment a disparu. Chacun est à chacun un ennemi ou un rival.

Non, pourtant : dans ce compagnon d'aujour-d'hui, attelé avec moi sous le même fardeau, il m'est impossible de voir un ennemi ou un rival.

C'est Null Achtzehn. On ne lui connaît pas d'autre nom. Zéro dix-huit, les trois derniers chiffres de son matricule : comme si chacun s'était rendu compte que seul un homme est digne de porter un nom, et que Null Achtzehn n'est plus un homme. Je crois bien que lui-même a oublié son nom, tout dans son comportement porterait à le croire. Sa voix, son regard donnent l'impression d'un grand vide intérieur, comme s'il n'était plus qu'une simple enveloppe, semblable à ces dépouilles d'insectes qu'on trouve au bord des étangs, rattachées aux pierres par un fil, et que le vent agite.

Null Achtzehn est très jeune, ce qui constitue un grave danger. Non seulement parce que les adolescents supportent moins bien que les adultes les fatigues et les privations, mais surtout parce que, ici, pour survivre, il faut avoir accumulé une longue expérience de la lutte de chacun contre tous, que généralement les jeunes n'ont pas. Et même si Null Achtzehn n'est pas particulièrement éprouvé physiquement, personne ne veut travailler avec lui. Car tout lui est à ce point indifférent qu'il ne se soucie même plus d'éviter la fatigue et les coups, ni de chercher de quoi manger. Il exécute tous les ordres qu'on lui donne, et il est fort pro-bable que lorsqu'on l'enverra à la mort, il ira avec la même indifférence.

Il lui manque l'astuce élémentaire des chevaux de trait, qui cessent de tirer un peu avant d'atteindre l'épuisement : il tire, il porte, il pousse tant qu'il en a la force, puis il s'écroule d'un coup, sans un mot d'avertissement, sans même lever de terre ses yeux tristes et éteints. Il me rappelle les chiens de traîneaux des livres de Jack London, qui peinent jusqu'au dernier souffle et meurent sur la piste.

Comme chacun de nous s'efforce par tous les moyens d'éviter les tâches les plus pénibles, il est clair que Null Achtzehn est celui qui travaille le plus ; et comme c'est un compagnon dangereux, chacun évite de travailler avec lui. Personne ne voulant par ailleurs travailler avec moi, parce que je suis faible et maladroit, il arrive souvent que nous nous retrouvions ensemble.

Tandis que, les mains vides, le pas lourd, nous revenons encore une fois de l'entrepôt, une locomotive nous barre la route, avec un bref coup de sifflet. Tout heureux de l'interruption forcée, Null Achtzehn et moi nous nous arrêtons : le dos voûté, hébétés de fatigue, nous attendons que les wagons aient fini de défiler lentement devant nous.

... Deutsche Reichsbahn. Deutsche Reichsbahn. SNCF. Deux gigantesques wagons russes, avec la faucille et le marteau à moitié effacés. Deutsche Reichsbahn. Puis Cavalli 8, Uomini 40. Tara, Portata : un wagon italien... Ah ! monter dedans, se blottir dans un coin, bien caché sous le charbon, et rester là sans bouger, sans parler, dans l'obscurité, à écouter sans fin le bruit rythmé des rails, plus fort que la faim et la fatigue, jusqu'au moment où finalement le wagon s'arrêterait ; je sentirais la tiédeur de l'air et l'odeur du foin et je pourrais sortir à l'air libre, dans le soleil : alors je m'étendrais par terre, je baiserais la terre, comme dans les livres, le visage dans l'herbe. Puis une femme passerait et me demanderait en italien : « Qui es-tu ? », et en italien je lui raconterais, et elle comprendrait, et elle m'inviterait à manger et à dormir. Et comme elle ne croirait pas aux choses que je lui dirais, je lui ferais voir le numéro sur mon bras, et alors elle croirait...

... C'est fini. Le dernier wagon est passé et, comme au théâtre lorsque le rideau se lève, voici que surgissent sous nos yeux la pile de poutrelles en fonte, le Kapo debout dessus sa baguette à la main, et les silhouettes efflanquées des camarades qui vont et viennent, deux par deux.

Malheur à celui qui rêve : le réveil est la pire des souffrances. Mais cela ne nous arrive guère, et nos rêves ne sont pas longs : nous ne sommes que des bêtes fourbues.

Nous revoici au pied de la pile, Mischa et le Galicien soulèvent une poutrelle et nous la déposent rudement sur les épaules. Comme c'est le travail le moins fatigant, ils rivalisent de zèle pour le conserver : ils interpellent les traînards, nous pressent et nous harcèlent continuellement, imposant un rythme de travail insoutenable. Cela me remplit d'indignation, et pourtant je sais bien qu'il est dans l'ordre des choses que les privilégiés oppriment les non-privilégiés puisque c'est sur cette loi humaine que repose la structure sociale du camp.

A mon tour maintenant de marcher devant. La poutre est lourde et très courte, si bien qu'à chaque pas je sens derrière moi les pieds de Null Achtzehn qui viennent buter contre les miens, incapable ou insoucieux qu'il est de se régler sur mon allure.

Vingt pas et nous arrivons à la voie, il y a un câble à enjamber. Mais la poutre n'est pas bien calée, quelque chose ne va pas, elle tend à glisser de mon épaule. Cinquante pas, soixante. La porte de l'entrepôt; encore la même distance, et nous pourrons déposer notre fardeau. Mais non, impossible d'aller plus loin, le poids repose maintenant entièrement sur mon bras; je n'en peux plus de douleur et d'épuisement, je crie, je cherche à me retourner: juste à temps pour voir Null Achtzehn trébucher et tout lâcher.

Si j'avais été aussi agile qu'autrefois, j'aurais fait un bond en arrière: au lieu de cela, me voilà par terre, tous muscles raidis, tenant à deux mains mon pied blessé, la vue obscurcie par la douleur. L'arête en fonte s'est enfoncée de biais dans mon pied gauche.

L'espace d'une minute, tout disparaît dans un vertige de souffrance. Lorsque je reprends conscience, Null Achtzehn n'a pas bougé, il est planté là, les mains enfilées dans ses manches, muet, à me regarder d'un œil vide. Mischa et le Galicien arrivent, parlent entre eux en yiddish, me donnant de vagues conseils. Arrivent Templer et David, suivis du gros de la troupe qui profite de la diversion pour interrompre le travail. Arrive le Kapo, qui distribue coups de pied, coups de poing et jurons, dispersant les hommes comme paille au vent. Null Achtzehn porte une main à son nez et s'aperçoit, hébété, qu'elle est tachée de sang. Quant à moi je m'en tire avec deux coups sur la tête, de ceux qui ne font pas mal parce qu'ils étourdissent.

L'incident est clos. Je constate que j'arrive tant bien que mal à me tenir sur mes pieds, l'os ne doit pas être brisé. Je n'ose enlever mon soulier de peur de réveiller la douleur, et aussi parce que je sais qu'ensuite le pied se mettra à gonfler et que je ne pourrai plus me rechausser.

Le Kapo m'envoie travailler sur la pile, à la place du Galicien qui me jette au passage un regard torve et va prendre place au côté de Null Achtzehn ; mais voilà déjà les prisonniers anglais qui passent, il sera bientôt l'heure de rentrer au camp.

Pendant le trajet de retour, je fais de mon mieux pour marcher vite, mais sans réussir à suivre la cadence ; le Kapo désigne Null Achtzehn et Finder pour me soutenir jusqu'au poste des SS, et finalement (par bonheur ce soir il n'y a pas d'appel) une fois arrivé à la baraque, je peux me jeter sur ma couchette et respirer.

Peut-être est-ce la chaleur, peut-être le mouvement de la marche, ma douleur s'est réveillée, en même temps que j'éprouve une bizarre sensation

64

d'humidité au pied blessé. J'enlève mon soulier : il est plein de sang coagulé et amalgamé à de la boue et aux lambeaux du chiffon que j'ai trouvé il y a un mois et qui me sert de chaussette russe, un jour pour le pied droit, un jour pour le pied gauche.

Ce soir, tout de suite après la soupe, j'irai au K.B.

K.B., c'est l'abréviation de « Krankenbau », infirmerie. L'infirmerie se compose de huit baraques semblables aux autres en tous points, mais séparées du reste du camp par des barbelés. Elle contient en permanence un dixième de la population du camp, mais bien peu y séjournent plus de quinze jours, et personne plus de deux mois, délai au terme duquel nous sommes tenus de guérir ou de mourir. Pour être soigné au K.B., en effet, il faut être enclin à guérir, la propension contraire conduisant directement du K.B. à la chambre à gaz.

Et encore, c'est parce que nous avons le privilège d'appartenir à la catégorie des « juifs économiquement utiles ».

Au K.B. comme au Dispensaire tout est nouveau pour moi car je n'y suis encore jamais allé.

Le Dispensaire se divise en deux sections, celle de Médecine et celle de Chirurgie. Devant la porte, deux longues files d'ombres attendent dans la nuit et le vent. Certains ne sont là que pour un pansement ou des comprimés, d'autres ont besoin d'une visite ; quelques-uns ont la mort sur le visage. Les premiers des deux files sont déjà déchaussés et prêts à entrer ; les autres, au fur et à mesure que leur tour approche, s'efforcent au milieu de la bousculade de dénouer les bouts de ficelle et les fils de fer qui leur servent de lacets, et de dérouler sans les déchirer leurs précieuses chaussettes russes ; pas trop tôt pour ne pas rester inutilement pieds nus dans la boue ; pas trop tard pour ne pas manquer leur tour d'entrée : il est en effet rigoureusement interdit d'entrer chaussé au K.B. Le préposé aux chaussures est un gigantesque Häftling français, installé dans une loge entre les deux dispensaires. C'est un des rares fonctionnaires français du camp, et ce serait une erreur grossière de croire que passer ses journées au milieu de souliers boueux et éculés est un mince privilège : il suffit de penser à tous ceux qui entrent au K.B. avec leurs souliers et qui en ressortent sans plus en avoir besoin...

Lorsque mon tour arrive, je réussis par miracle à retirer chaussures et chiffons sans perdre ni les uns ni les autres, sans me faire voler ma gamelle ni mes gants, sans perdre l'équilibre et sans cesser de tenir bien serré dans ma main le calot qu'il est formellement interdit de porter sur la tête quand on entre dans la baraque.

Je laisse mes souliers au dépôt et retire le ticket de consigne ; après quoi, pieds nus et claudiquant, les mains encombrées de toutes les pauvres choses que je ne peux laisser nulle part, j'entre dans une pièce et me joins à une nouvelle queue qui débouche dans la salle de visite médicale.

Au fur et à mesure que la file avance, il faut enlever ses vêtements un à un de manière à arriver complètement nu au premier rang, où un infirmier vous enfile un thermomètre sous le bras ; si on est encore habillé à ce moment-là, on perd son tour et on doit refaire la queue. Le thermomètre est obligatoire pour tous, même pour ceux qui ont la gale ou une rage de dents.

Voilà de quoi décourager les abus : on n'ira pas se soumettre à la légère à un cérémonial aussi compliqué.

Enfin mon tour arrive, je passe devant le médecin tandis que l'infirmier annonce : « Nummer 174 517, kein Fieber. » Pas de visite pour moi : je suis immédiatement déclaré Arztvormelder, diagnostic qui demeure pour moi parfaitement obscur, mais sur lequel il est plus prudent de ne pas demander d'explications. On me met à la porte, je récupère mes souliers et regagne la baraque.

Chajim me félicite : j'ai une bonne blessure, qui ne semble pas dangereuse et me garantit une honnête période de repos. Je passerai la nuit dans la baraque avec les autres, mais demain matin, au lieu d'aller au travail, je devrai me présenter à nouveau devant les médecins pour la visite définitive : c'est cela, Arztvormelder. Chajim, qui a une certaine expérience en la matière, pense que j'ai de bonnes chances d'être admis au K.B. demain. Chajim est mon compagnon de couchette et j'ai en lui une confiance aveugle. Il est polonais, juif pratiquant, versé dans l'étude de la Loi. A peu près de mon âge, il est horloger de son métier, et ici à

la Buna, il travaille dans la mécanique de précision. Cela fait de lui un des rares détenus à avoir
conservé cette dignité et cette assurance qui
naissent de l'exercice d'un métier dans lequel on
se sent compétent.

Chajim avait raison. Après le lever et la distribution du pain, j'ai été appelé avec trois autres
compagnons de baraque. On nous a fait mettre
dans un coin de la place de l'Appel où se trouvait
déjà la longue file des Arztvormelder du jour ;
quelqu'un s'est approché de moi et m'a pris ma
gamelle, ma cuillère, mon calot et mes gants. Les
autres se sont mis à rire : comment ! je ne savais
pas qu'il fallait les cacher, ou les donner à garder,
et même qu'il valait mieux les vendre, puisqu'au
K.B. on ne peut rien emporter... ? Ils regardent
mon numéro et hochent la tête : il n'y a qu'un gros
numéro pour faire des idioties pareilles !

Ensuite on nous a comptés, on nous a fait déshabiller dehors dans le froid, on nous a pris nos
chaussures, on nous a recomptés, on nous a rasé la
barbe, les cheveux et les poils, on nous a comptés
une troisième fois et on nous a fait prendre une
douche ; puis un SS est venu, nous a examinés
sans intérêt, s'est attardé devant un détenu qui
avait une grosse hydrocèle et l'a fait mettre à
l'écart. Après quoi on nous a encore comptés et on
nous a de nouveau envoyés à la douche, alors que
nous étions encore tout mouillés de la précédente
et que plusieurs d'entre nous tremblaient de
fièvre.

Nous voilà maintenant prêts pour la visite définitive. A travers la fenêtre, on aperçoit le ciel tout blanc et quelques rares rayons de soleil ; dans ce pays, on peut regarder le soleil fixement à travers l'épaisseur des nuages comme à travers un verre fumé. A en juger par sa position, il doit être quatorze heures passées : adieu la soupe, maintenant ! Et nous sommes debout depuis dix heures, et nus depuis six.

Cette seconde visite médicale est tout aussi expéditive que la première : le médecin (il porte comme nous l'uniforme mais son numéro est cousu sur la blouse blanche enfilée par-dessus, et il est beaucoup plus gras que nous) regarde mon pied enflé et sanguinolent, le palpe — je jette un cri de douleur —, et dit : « Aufgenommen. Block 23. » Je reste planté là bouche bée, attendant quelque information supplémentaire, mais je me sens brutalement tiré en arrière, quelqu'un jette un manteau sur mes épaules nues, me tend une paire de sandales et me pousse dehors.

Le Block 23 est à une centaine de mètres ; au-dessus de la porte, une inscription sibylline : Schonungsblock... J'entre ; on m'enlève manteau et sandales et je me retrouve encore une fois tout nu, et le dernier d'une longue file de squelettes nus : les hospitalisés d'aujourd'hui.

Depuis longtemps j'ai renoncé à comprendre. En ce qui me concerne, je suis si fatigué de me tenir debout sur mon pied blessé et pas encore soigné, je suis si affamé et grelottant que plus rien ne m'intéresse. Quand bien même aujourd'hui serait mon dernier jour, et cette chambre la fameuse chambre à gaz dont tout le monde parle, que pourrais-je y faire ? Autant s'appuyer au mur, fermer les yeux et attendre.

Mon voisin ne doit pas être juif. Il n'est pas circoncis, et puis (c'est une des rares choses que j'aie apprises jusqu'ici) cette peau de blond, cette ossature et ces traits lourds sont caractéristiques des Polonais non juifs. Celui-ci me dépasse d'une tête, mais il a une expression assez cordiale, comme seuls peuvent en avoir ceux qui ne souffrent pas de la faim.

Je me suis risqué à lui demander s'il savait quand on nous ferait entrer. Il s'est retourné vers l'infirmier, qui lui ressemble comme un frère jumeau et fume dans un coin ; ils ont parlé et ri ensemble comme si je n'étais pas là ; puis l'un d'eux m'a pris le bras et a regardé mon numéro, et alors ils se sont esclaffés de plus belle. Tout le monde sait au camp que les cent soixante-quatorze mille sont les juifs italiens : les fameux juifs italiens arrivés il y a deux mois, tous avocats, tous docteurs en quelque chose, plus de cent à l'arrivée, et plus que quarante maintenant, des gens qui ne savent pas travailler, qui se laissent voler leur pain et qui reçoivent des gifles du matin au soir. Les Allemands les appellent « deux mains gauches », et même les juifs polonais les méprisent, parce qu'ils ne savent pas parler yiddish.

L'infirmier se tourne vers l'autre pour lui montrer mes côtes, comme si j'étais un cadavre dans un amphithéâtre d'anatomie ; il indique maintenant mes paupières, mes joues enflées, mon cou grêle ; il se penche, appuie son index sur mon tibia, faisant remarquer à son acolyte le creux profond que laisse le doigt dans la chair livide, comme dans de la cire.

Je voudrais ne jamais avoir adressé la parole au Polonais : il me semble que jamais de ma vie je n'ai subi d'affront plus atroce. Entre-temps l'infirmier semble avoir achevé sa démonstration, exécutée en polonais, langue que je ne comprends pas et qui a donc pour moi quelque chose de terrible ; il s'adresse maintenant à moi, et dans un allemand approximatif, charitablement, me fournit le condensé de son diagnostic : « Du Jude kaputt. Du schnell Krematorium fertig » (toi juif foutu, toi bientôt crématoire, terminé).

Quelques heures encore se sont écoulées avant que tous les malades aient été pris en charge et pourvus chacun d'une chemise et d'une fiche individuelle. Comme d'habitude j'ai été le dernier ; un homme en uniforme rayé flambant neuf m'a demandé où j'étais né, quel était mon métier « dans le civil », si j'avais des enfants, quelles maladies j'avais eues ; une quantité de questions. A quoi cela peut-il servir ? C'est une mise en scène pour se moquer de nous. Ce serait donc ça l'hôpital ? On nous laisse debout, nus, et on nous pose des questions.

Finalement la porte s'est ouverte pour moi aussi, et j'ai pu entrer dans le dortoir.

Ici comme ailleurs, tout l'espace est occupé par

des couchettes à trois niveaux disposées sur trois rangs et séparées par deux couloirs extrêmement étroits. Cent cinquante couchettes pour deux cent cinquante malades, ce qui veut dire une couchette pour deux dans la majorité des cas. Les malades des couchettes supérieures, plaqués contre le plafond, ne peuvent pratiquement pas s'asseoir ; ils se penchent avec curiosité sur les nouveaux venus d'aujourd'hui : c'est le moment le plus intéressant de la journée, on tombe toujours sur une connaissance. J'ai été assigné à la couchette 10 ; miracle ! elle est vide. Je m'y étends avec délices, c'est la première fois depuis que je suis au camp que j'ai une couchette pour moi tout seul. Malgré la faim qui me tenaille, dix minutes ne sont pas passées que je dors déjà.

La vie au K.B. est une vie de limbes. Les désagréments matériels y sont relativement limités, mis à part la faim et les souffrances dues à la maladie. Il ne fait pas froid, on ne travaille pas, et à moins de commettre quelque grave manquement, on n'est pas battu.

Le lever a lieu à quatre heures, même pour les malades ; il faut faire son lit et se laver, mais sans trop se presser et sans trop de rigueur. A cinq heures et demie c'est la distribution du pain et on peut prendre son temps pour le couper en tranches minces et le manger couché, bien tranquillement ; on peut ensuite se rendormir jusqu'à la distribution du bouillon de midi, auquel succède la Mittagsruhe, la sieste, qui dure à peu près jusqu'à seize heures. A cette heure-là, il y a souvent la visite médicale et les soins ; il faut descendre de sa couchette, enlever sa chemise et faire la queue devant le médecin. La soupe du soir est également servie au lit ; puis, à vingt et une heures, toutes les lumières s'éteignent à l'exception de la veilleuse du garde de nuit, et c'est le silence.

... Et pour la première fois depuis que je suis au camp, la cloche du réveil me surprend dans un sommeil profond, et c'est un peu comme si je sortais du néant. Au moment de la distribution du pain, on entend au loin, dans le petit matin obscur, la fanfare qui commence à jouer : ce sont nos camarades de baraque qui partent travailler au pas militaire.

Du K.B. on n'entend pas très bien la musique : sur le fond sonore de la grosse caisse et des cymbales qui produisent un martèlement continu et monotone, les phrases musicales se détachent par intervalles, au gré du vent. De nos lits, nous nous entre-regardons, pénétrés du caractère infernal de cette musique.

Une douzaine de motifs seulement, qui se répètent tous les jours, matin et soir : des marches et des chansons populaires chères aux cœurs allemands. Elles sont gravées dans notre esprit et seront bien la dernière chose du Lager que nous oublierons ; car elles sont la voix du Lager, l'expression sensible de sa folie géométrique, de la détermination avec laquelle des hommes entreprirent de nous anéantir, de nous détruire en tant qu'hommes avant de nous faire mourir lentement.

Quand cette musique éclate, nous savons que nos camarades, dehors dans le brouillard, se mettent en marche comme des automates ; leurs âmes sont mortes et c'est la musique qui les pousse en avant comme le vent les feuilles sèches, et leur tient lieu de volonté. Car ils n'ont plus de volonté : chaque pulsation est un pas, une contraction automatique de leurs muscles inertes. Voilà ce qu'ont fait les Allemands. Ils sont dix mille hommes, et ils ne forment plus qu'une même machine grise ; ils sont exactement déterminés ; ils ne pensent pas, ils ne veulent pas, ils marchent.

Jamais les SS n'ont manqué l'une de ces parades d'entrée et de sortie. Qui pourrait leur refuser le droit d'assister à la chorégraphie qu'ils ont eux-mêmes élaborée, à la danse de ces hommes morts qui laissent, équipe par équipe, le brouillard pour le brouillard ? Quelle preuve plus tangible de leur victoire ?

Ceux du K.B. connaissent bien eux aussi ces départs et ces retours, l'hypnose du rythme continu qui annihile la pensée et endort la douleur ; ils en ont fait l'expérience, ils la feront encore. Mais il fallait échapper au maléfice, il fallait entendre la musique de l'extérieur, comme nous l'entendions au K.B., comme nous l'entendons aujourd'hui dans le souvenir, maintenant que nous sommes à nouveau libres et revenus à la vie ; il fallait l'entendre sans y obéir, sans la subir, pour comprendre ce qu'elle représentait, pour quelles raisons préméditées les Allemands avaient instauré ce rite monstrueux, et pourquoi aujourd'hui encore, quand une de ces innocentes chansonnettes nous revient en mémoire, nous sentons notre sang se glacer dans nos veines et nous prenons conscience qu'être revenus d'Auschwitz tient du miracle.

J'ai deux voisins de couchette. Ils restent allongés toute la journée et toute la nuit côte à côte, peau contre peau, dans la position croisée des Poissons du zodiaque.

Le premier est Walter Bonn, un Hollandais poli et assez instruit. Il voit que je n'ai rien pour couper mon pain, et il me prête son couteau, puis s'offre à me le vendre pour une demi-ration de pain. Je commence par discuter le prix, puis j'abandonne, je me dis qu'au K.B. je trouverai toujours quelqu'un pour m'en prêter un, et que dehors le prix n'est qu'à un tiers de ration. Walter ne se formalise pas pour autant et à midi, après avoir mangé sa soupe, il lèche soigneusement sa cuillère (ce qui est de bonne règle quand on veut la prêter, car cela permet à la fois de la nettoyer et de ne pas perdre une seule goutte de soupe) et me l'offre spontanément.

— Quelle maladie as-tu, Walter?

— Körperschwäche.

Faiblesse généralisée. La pire des maladies : elle est inguérissable, et il est très dangereux d'entrer au K.B. avec ce diagnostic-là. Si ce n'était pas pour cet œdème aux chevilles (il me le

75

montre) qui l'empêche de travailler, il se serait bien gardé de se faire porter malade.

Sur ce genre de danger, je suis encore loin d'avoir les idées claires. Tout le monde en parle à mots couverts, par allusions, et quand je pose une question on me regarde sans répondre.

C'est donc vrai ce qu'on raconte : les sélections, les gaz, le crématoire ?

Crématoire. Le voisin de Walter s'éveille en sursaut, se redresse brusquement : qui est-ce qui parle de crématoire ? Qu'est-ce qui se passe ? On ne peut même pas rester tranquille quand on dort ? C'est un juif polonais, un homme d'un certain âge, albinos, le visage maigre et l'air bon enfant. Il s'appelle Schmulek et il est forgeron. Walter le met au courant en quelques mots.

Tiens, tiens, « der Italeyner » ne croit pas aux sélections ? L'allemand que Schmulek s'efforce de parler est en réalité du yiddish : je le suis avec peine et seulement parce qu'il cherche à se faire comprendre. Il fait taire Walter d'un geste, il se fait fort de me persuader.

— Montre-moi ton numéro : toi, tu es le 174 517. Cette numérotation a commencé il y a dix-huit mois, et elle englobe Auschwitz et les camps annexes. Nous, à Buna-Monowitz, on est maintenant dix mille ; trente mille à la rigueur en comptant Auschwitz et Birkenau. Wo sind die andere ? Où sont les autres ?

— Peut-être qu'ils ont été transférés dans d'autres camps ?

Schmulek hoche la tête et se tourne vers Walter :

— Er will nit farstayen. Il ne veut pas comprendre.

Mais il était écrit que je ne devais pas tarder à comprendre, et aux dépens de Schmulek. Le soir, la porte de la baraque s'est ouverte ; une voix a crié : « Achtung ! », et tous les bruits se sont tus pour faire place à un silence de plomb.

Deux SS sont entrés (l'un d'eux a de nombreux galons, peut-être est-ce un officier ?), on entendait leurs pas résonner dans la baraque comme dans une pièce vide ; ils ont parlé avec le médecin-chef, et celui-ci leur a montré un registre sur lequel il a pointé l'index ici et là. L'officier a pris note sur un carnet. Schmulek me touche les genoux : « Pass'auf, pass'auf. Fais attention. »

L'officier, escorté du médecin, déambule négligemment entre les couchettes, silencieux, la cravache à la main ; il en frappe au passage un pan de couverture qui dépasse d'une des couchettes supérieures ; son occupant se précipite pour la border. L'officier passe.

Il avise maintenant un malade au visage tout jaune ; il lui arrache ses couvertures, l'autre tressaille ; il lui palpe le ventre, dit : « Gut, gut », et passe.

Ça y est, son regard s'est posé sur Schmulek ; il prend son carnet, contrôle le numéro du lit et celui du tatouage... D'en haut, pas un détail de la scène ne m'échappe : il fait une croix en face du numéro de Schmulek. Il est passé.

Je regarde Schmulek, et derrière lui j'ai croisé le regard de Walter ; je n'ai pas posé de questions.

Le lendemain, au lieu du groupe habituel de guéris, deux groupes distincts ont quitté le K.B. Ceux du premier groupe ont été rasés et tondus et ont pris une douche. Ceux du second sont sortis comme ils étaient, avec une barbe de plusieurs jours, sans avoir reçu leurs soins, sans douche. Ceux-là, personne ne leur a dit au revoir, personne ne les a chargés de messages pour les camarades de Block.

Parmi eux il y avait Schmulek.

C'est de cette façon discrète et organisée, sans déploiement de force et sans colère, que le massacre rôde chaque jour dans les baraques du K.B. et s'abat sur tel ou tel d'entre nous. En partant, Schmulek m'a laissé sa cuillère et son couteau ; Walter et moi, nous avons évité de nous regarder et nous sommes restés longtemps silencieux. Puis Walter m'a demandé comment je faisais pour garder ma ration de pain si longtemps sans la toucher, et il m'a expliqué que lui, d'habitude, coupe le sien en long, de manière à avoir des tranches plus larges sur lesquelles il est plus facile d'étaler la margarine.

Walter m'explique toutes sortes de choses : Schonungsblock signifie baraque de repos ; on n'y met que les malades légers, les convalescents, ou ceux qui n'ont pas besoin de soins particuliers.

Parmi eux, une bonne cinquantaine d'internés plus ou moins gravement atteints de dysenterie.

Ces derniers sont soumis à un contrôle tous les deux jours. Ils font la queue dans le couloir : en tête de file, deux bassines de fer-blanc et un infirmier muni d'un registre, d'une montre et d'un crayon. Les malades se présentent deux par deux et doivent fournir sur le moment et sur place la preuve que leur diarrhée persiste ; opération pour laquelle ils disposent d'une minute exactement. Après quoi ils présentent le résultat à l'infirmier, qui observe et juge ; puis ils rincent rapidement les bassines dans un baquet prévu à cet effet et cèdent la place aux deux suivants.

Parmi ceux qui attendent, certains se tordent dans les spasmes pour retenir le précieux témoignage vingt minutes, dix minutes encore ; d'autres, privés de ressources à ce moment-là, mobilisent veines et muscles dans l'effort contraire. L'infirmier regarde, impassible, mordillant son crayon, un coup d'œil à la montre, un autre aux échantillons qui défilent. Dans les cas douteux, il part avec la bassine et va consulter le médecin.

... J'ai reçu une visite : Piero Sonnino, le Romain. — Tu as vu comme je les ai roulés ? Piero a une très légère entérite, il est là depuis vingt jours, il s'y trouve bien, se repose et engraisse ; il se fiche pas mal des sélections et il a décidé de rester au K.B. jusqu'à la fin de l'hiver, coûte que coûte. Sa méthode consiste à faire la queue derrière un malade authentiquement atteint de dysenterie, et qui offre quelque chance de succès ; quand vient son tour, il lui demande sa collaboration (contre de la soupe ou du pain) et si l'autre accepte et que l'infirmier a un instant d'inattention, il échange les bassines au milieu de la confusion générale, et le tour est joué. Piero sait ce qu'il risque mais jusqu'ici il s'en est toujours bien tiré.

Mais la vie au K.B., ce n'est rien de tout cela. Ce ne sont ni les moments cruciaux de la sélection, ni les épisodes grotesques du contrôle de la diarrhée et du dépistage des poux, ni même les maladies.

Le K.B., c'est le Lager moins l'épuisement physique. Aussi quiconque possède encore une lueur de raison y reprend-il conscience ; aussi y parlons-nous d'autre chose, durant les interminables journées vides, que de faim et de travail ; aussi en venons-nous à penser à ce qu'on a fait de nous, à tout ce qui nous a été enlevé, à cette vie qui est la nôtre. C'est dans cette baraque du K.B., au cours de cette parenthèse de paix relative, que nous avons appris combien notre personnalité est fragile, combien, beaucoup plus que notre vie, elle est menacée ; combien, au lieu de nous dire : « Rappelle-toi que tu dois mourir », les sages de l'Antiquité auraient mieux fait de nous mettre en garde contre cet autre danger, autrement redoutable. S'il est un message que le Lager eût pu transmettre aux hommes libres, c'est bien celui-ci : Faites en sorte de ne pas subir dans vos maisons ce qui nous est infligé ici.

Lorsqu'on travaille, on souffre et on n'a pas le temps de penser : nos maisons sont moins qu'un souvenir. Mais ici le temps est tout à nous : malgré l'interdiction, nous nous rendons visite d'une couchette à l'autre, et nous parlons et parlons. La baraque de bois, emplie d'humanité souffrante, retentit de paroles, de souvenirs, et d'une autre douleur. Cela se dit « Heimweh » en allemand ; c'est une belle expression, qui veut dire littéralement « mal de la maison ».

Nous savons d'où nous venons : les souvenirs du monde extérieur peuplent notre sommeil et notre veille, nous nous apercevons avec stupeur que nous n'avons rien oublié, que chaque souvenir évoqué surgit devant nous avec une douloureuse netteté.

Mais nous ne savons pas où nous allons. Peut-être pourrons-nous survivre aux maladies et échapper aux sélections, peut-être même résister au travail et à la faim qui nous consument : et puis ? Ici, momentanément à l'abri des avanies et des coups, il nous est possible de rentrer en nous-mêmes et de méditer, et alors tout nous dit que nous ne reviendrons pas. Nous avons voyagé jusqu'ici dans les wagons plombés, nous avons vu nos femmes et nos enfants partir pour le néant ; et nous, devenus esclaves, nous avons fait cent fois le parcours monotone de la bête au travail, morts à nous-mêmes avant de mourir à la vie, anonymement. Nous ne reviendrons pas. Personne ne sortira d'ici, qui pourrait porter au monde, avec le signe imprimé dans sa chair, la sinistre nouvelle de ce que l'homme, à Auschwitz, a pu faire d'un autre homme.

5

NOS NUITS

Au bout de vingt jours de K.B., ma blessure s'étant pratiquement fermée, il me faut à mon grand regret vider les lieux.

La cérémonie est simple, mais suivie d'une pénible et dangereuse période de remise en train. A la sortie du K.B., si on ne dispose pas de protections particulières, on n'est pas réinséré dans son Block et dans son Kommando d'origine, mais, sur la base de critères que j'ignore, on est affecté à n'importe quelle autre baraque et dirigé vers n'importe quel autre travail. Bien plus, on sort nu du K.B.; on reçoit des vêtements et des souliers « neufs » (j'entends dire différents de ceux qu'on y a laissés à l'entrée), qu'il faut s'employer avec zèle et rapidité à adapter à sa propre personne, ce qui implique de la fatigue et des dépenses. Il est également nécessaire de se procurer à nouveau une cuillère et un couteau ; enfin, et c'est là le plus grave, on se retrouve comme un intrus en milieu inconnu, entouré de compagnons nouveaux et hostiles, avec des chefs dont on ne connaît pas le caractère et dont il est par conséquent difficile de se garder.

La faculté qu'a l'homme de se creuser un trou, de sécréter une coquille, de dresser autour de soi une fragile barrière de défense, même dans des circonstances apparemment désespérées, est un phénomène stupéfiant qui demanderait à être étudié de près. Il s'agit là d'un précieux travail d'adaptation, en partie passif et inconscient, en partie actif : planter un clou au-dessus de sa couchette pour y suspendre ses chaussures pendant la nuit ; conclure tacitement des pactes de non-agression avec ses voisins ; deviner et accepter les habitudes et les lois du Kommando et du Block où l'on se trouve. En vertu de quoi, au bout de quelques semaines, on parvient à atteindre un certain équilibre, un certain degré d'assurance face aux imprévus ; on s'est fait un nid, le choc de la transplantation est passé.

Mais l'homme qui sort du K.B., nu et presque toujours insuffisamment rétabli, se sent précipité dans la nuit et le froid de l'espace sidéral. Son pantalon tombe, ses souliers lui font mal, sa chemise n'a pas de boutons. Il cherche un contact humain et ne trouve que des dos tournés. Il est aussi vulnérable et désarmé qu'un nouveau-né, et pourtant il devra le matin même marcher au travail.

Voilà dans quelles conditions je me trouve lorsque l'infirmier, après les différents rites administratifs prévus, me confie aux bons soins du Blockältester du Block 45. Mais aussitôt une pensée me remplit de joie : j'ai eu de la chance, c'est le Block d'Alberto !

Alberto est mon meilleur ami. Il n'a que vingt-deux ans, deux de moins que moi, mais témoigne de capacités d'adaptation que personne, dans notre groupe d'Italiens, n'a su égaler. Alberto est entré au Lager la tête haute, et vit au Lager sans peur et sans reproche. Il a compris avant tout le monde que cette vie est une guerre ; il ne s'est accordé aucune indulgence, il n'a pas perdu de temps en récriminations et en doléances sur soi ni sur autrui, et il est descendu en lice dès le premier jour. Il a pour lui l'intelligence et l'instinct : il raisonne juste, souvent il ne raisonne pas et il est quand même dans le vrai. Il saisit tout au vol : il ne connaît qu'un peu de français et comprend ce qu'on lui dit en allemand et en polonais. Il répond en italien et par gestes, se fait comprendre et s'attire immédiatement la sympathie. Il lutte pour sa propre vie, et pourtant il est l'ami de tous. Il « sait » qui il faut corrompre, qui il faut éviter, qui on peut amadouer, à qui on doit tenir tête.

Et pourtant (et c'est pour cette vertu qu'aujourd'hui encore son souvenir m'est si proche et si cher) il n'est pas devenu un cynique. J'ai toujours vu, et je vois encore en lui le rare exemple de l'homme fort et doux, contre qui viennent s'émousser les armes de la nuit.

Mais je n'ai pas réussi à obtenir de dormir avec lui dans la même couchette ; pas plus qu'Alberto n'y est parvenu, malgré la popularité dont il jouit désormais à l'intérieur du Block 45. C'est dommage, car avoir un compagnon de lit à qui se fier, ou du moins avec qui on puisse s'entendre, est un avantage inestimable ; d'autant plus qu'on est maintenant en hiver, les nuits sont longues, et du moment que nous sommes contraints de partager sueur, odeur et chaleur avec quelqu'un, sous la même couverture et dans soixante-dix centimètres de large, il est très souhaitable que ce soit avec un ami.

L'hiver, les nuits sont longues et nous bénéficions d'un temps de sommeil appréciable.

Le tumulte du Block s'apaise peu à peu ; voilà maintenant plus d'une heure que la soupe du soir a été distribuée, et seuls quelques obstinés persistent à gratter le fond désormais reluisant de leur gamelle, l'explorant en tous sens sous l'ampoule électrique, le front plissé par l'attention. L'ingénieur Kardos passe entre les couchettes pour soigner les pieds blessés et les cors qui suppurent ; c'est là son industrie ; il n'est personne qui ne renonce volontiers à une tranche de pain pour être soulagé du tourment des plaies infectées qui saignent à chaque pas tout au long de la journée ; une façon pour l'ingénieur Kardos de résoudre honnêtement ses problèmes de subsistance.

Le chanteur ambulant vient d'entrer furtivement par la petite porte de derrière, jetant autour de lui des regards circonspects. Il s'est assis sur la couchette de Wachsmann, attirant aussitôt autour de lui une petite foule attentive et silencieuse. Il chante une interminable rhapsodie yiddish, tou-

jours la même, en quatrains rimés, d'une mélanco-
lie pénétrante et résignée (à moins que ce ne soit
le reflet du moment et du lieu où je l'ai entendue ?) ; les quelques mots que je saisis me laissent
penser qu'il s'agit d'une chanson de sa composi-
tion, dans laquelle il a mis toute la vie du Lager,
dans ses moindres détails. Quelques généreux
récompensent le chanteur d'un brin de tabac ou
d'une aiguillée de fil ; d'autres écoutent, absorbés,
mais ne lui donnent rien.

Soudain on entend la voix qui nous convie à la
dernière cérémonie de la journée : — « Wer hat
kaputt die Schuhe ? » — (Qui a des souliers abî-
més ?) et aussitôt, quarante ou cinquante candidats
à l'échange se ruent avec fracas vers le Tagesraum, dans un élan désespéré, car ils savent bien
que seuls les dix premiers arrivés, dans le meilleur
des cas, obtiendront satisfaction.

Puis c'est le calme. La lumière s'éteint une première fois, quelques secondes, pour avertir les
tailleurs de ranger leur précieuse aiguille et leur
fil ; la cloche sonne dans le lointain, le garde de
nuit s'installe et toutes les lumières s'éteignent
définitivement. Il ne nous reste plus qu'à nous
déshabiller et à nous coucher.

J'ignore qui est mon voisin ; je ne suis même
pas sûr que ce soit toujours la même personne, car
je ne l'ai jamais vu de face sinon l'espace de quelques instants dans le tumulte du réveil, si bien que
je connais beaucoup mieux son dos et ses pieds
que son visage. Il ne travaille pas dans mon Kommando et ne regagne sa couchette qu'après

l'extinction des feux ; il s'enroule dans sa couverture, me pousse de côté d'un coup de ses hanches anguleuses, me tourne le dos et commence aussitôt à ronfler. Mon dos contre le sien, je tâche de conquérir une portion raisonnable de paillasse ; j'exerce avec mes reins une pression progressive contre les siens, puis je me retourne et cherche à pousser avec les genoux ; je lui prends les chevilles et tente de les éloigner un peu de façon à ne pas avoir ses pieds à côté de mon visage : mais c'est peine perdue, il est beaucoup plus lourd que moi et le sommeil le rend inerte comme une pierre.

Alors je me résigne à rester comme je suis, contraint à l'immobilité, à cheval sur le rebord en bois. Mais je suis si rompu de fatigue que bientôt je glisse à mon tour dans le sommeil, et j'ai l'impression de dormir sur une voie de chemin de fer.

Le train va arriver : on entend haleter la locomotive, qui n'est autre que mon voisin de couchette. Je ne suis pas encore assez endormi pour ne pas me rendre compte de la double nature de la locomotive. Il s'agit justement de celle qui remorquait les wagons qu'on nous a fait décharger aujourd'hui à la Buna : je la reconnais à la chaleur que dégage son flanc noir, maintenant comme tout à l'heure, lorsqu'elle passait à côté de nous. Elle souffle, elle se rapproche encore, elle ne cesse de se rapprocher, elle est constamment sur le point de me passer sur le corps, mais elle n'arrive jamais. Mon rêve est léger, léger comme un voile ; si je voulais, je pourrais le déchirer. Je vais le faire, je vais le déchirer, comme ça je pourrai m'arracher à ces rails. Voilà, ça y est, et maintenant je suis réveillé : non, pas vraiment, seulement un peu plus réveillé, j'ai fait un petit pas de plus sur le chemin qui mène de l'inconscience à la conscience. J'ai les yeux fermés, et je ne veux pas les ouvrir pour ne pas laisser le sommeil m'échapper, mais je peux percevoir les bruits : ce sifflement au loin, je suis sûr qu'il est réel; il ne vient pas de la locomotive de mon rêve, il a objectivement retenti : c'est celui de la Decauville, il vient du chantier de nuit. Une longue note continue, une autre un demi-ton plus bas, puis de nouveau la première, mais brève et tronquée. Ce coup de sifflet, c'est quelque chose d'important, et même d'essentiel pourrait-on dire : nous l'avons si souvent entendu, associé à la souffrance du travail et du camp, qu'il en est devenu le symbole, il en évoque immédiatement l'image, comme il arrive pour certaines musiques et pour certaines odeurs.

Voici ma sœur, quelques amis que je ne distingue pas très bien et beaucoup d'autres personnes. Ils sont tous là à écouter le récit que je leur fais : le sifflement sur trois notes, le lit dur, mon voisin que j'aimerais bien pousser mais que j'ai peur de réveiller parce qu'il est plus fort que moi. J'évoque en détail notre faim, le contrôle des poux, le Kapo qui m'a frappé sur le nez et m'a ensuite envoyé me laver parce que je saignais. C'est une jouissance intense, physique, inexprimable que d'être chez moi, entouré de personnes amies, et d'avoir tant de choses à raconter : mais c'est peine perdue, je m'aperçois que mes auditeurs ne me suivent pas. Ils sont même complètement indifférents : ils parlent confusément d'autre chose entre eux, comme si je n'étais pas là. Ma sœur me regarde, se lève et s'en va sans un mot.

Alors une désolation totale m'envahit, comme certains désespoirs enfouis dans les souvenirs de la petite enfance : une douleur à l'état pur, que ne tempèrent ni le sentiment de la réalité ni l'intrusion de circonstances extérieures, la douleur des enfants qui pleurent ; et il vaut mieux pour moi remonter de nouveau à la surface, mais cette fois-ci j'ouvre délibérément les yeux, pour avoir en face de moi la garantie que je suis bien réveillé.

Mon rêve est là devant moi, encore chaud, et moi, bien qu'éveillé, je suis encore tout plein de son angoisse : et alors je me rappelle que ce rêve n'est pas un rêve quelconque, mais que depuis mon arrivée, je l'ai déjà fait je ne sais combien de fois, avec seulement quelques variantes dans le cadre et les détails. Maintenant je suis pleinement lucide, et je me souviens également de l'avoir déjà raconté à Alberto, et qu'il m'a confié, à ma grande surprise, que lui aussi fait ce rêve, et beaucoup d'autres camarades aussi, peut-être tous. Pourquoi cela ? Pourquoi la douleur de chaque jour se traduit-elle dans nos rêves de manière aussi constante par la scène toujours répétée du récit fait et jamais écouté ?

... Tout en méditant de la sorte, je cherche à profiter de cet intervalle de veille pour me débarrasser des lambeaux d'angoisse laissés par le rêve que je viens de faire, afin de ne pas compromettre la qualité du sommeil que je m'apprête à goûter. Je m'accroupis dans l'obscurité, je regarde autour de moi et je tends l'oreille.

On entend les dormeurs respirer et ronfler. Certains gémissent et parlent, beaucoup font claquer leurs lèvres et remuent les mâchoires. Ils rêvent qu'ils mangent : cela aussi c'est un rêve collectif. C'est un rêve impitoyable, celui qui a créé le mythe de Tantale devait en savoir quelque chose. Non seulement on voit les aliments, mais on les sent dans sa main, distincts et concrets, on en perçoit l'odeur riche et violente ; quelqu'un nous les approche de la bouche, mais une circonstance quelconque, à chaque fois différente, vient interrompre le geste. Alors notre rêve s'évanouit, se décompose en chacun de ses éléments, pour reprendre corps aussitôt après, semblable et différent : et cela sans trêve, pour chacun de nous, toutes les nuits, et tout au long de notre sommeil.

Il doit être un peu plus de vingt-trois heures, car les allées et venues au seau, près du garde de nuit, se font de plus en plus nombreuses. C'est une épreuve humiliante, une honte ineffaçable : toutes les deux ou trois heures, nous devons nous lever pour évacuer la grosse quantité d'eau qu'on nous fait absorber durant la journée sous forme de soupe afin de calmer notre faim : cette même eau qui le soir fait enfler nos chevilles et nos paupières, qui donne à toutes les physionomies une ressemblance hideuse, et dont l'élimination impose à nos reins un effort déchirant.

Mais la procession nous réserve d'autres appréhensions ; il est de règle que le dernier à utiliser le seau aille lui-même le vider aux latrines, comme il est de règle qu'après l'extinction des feux, personne ne sorte de la baraque autrement qu'en tenue de nuit (chemise et caleçon) et en signalant son numéro au garde. C'est donc tout naturellement que le garde cherche à dispenser de ce service ses propres amis, ses compatriotes et les prominents. D'un autre côté, les vieux du camp ont les sens tellement aiguisés qu'ils sont miraculeusement capables, sans bouger de leur couchette, et en se basant simplement sur le son que rendent les parois du seau, de distinguer si le niveau a atteint ou non le seuil dangereux, parvenant ainsi à éviter presque à chaque fois la corvée de vidange. Il s'ensuit que les candidats au service du seau se réduisent à un tout petit nombre, tandis que le liquide à éliminer atteint au moins deux cents litres : une vingtaine de vidanges par nuit.

Conclusion : aller au seau de nuit pour satisfaire un besoin pressant représente, pour nous les sans-expérience, les non-privilégiés, un risque considérable. Le garde bondit de son coin sans crier gare, nous empoigne, gribouille notre numéro sur un bout de papier, nous donne le seau et une paire de socques, et nous pousse dehors, dans la neige, grelottants et ensommeillés. Il nous faut nous traîner jusqu'aux latrines : le seau, qui dégage une chaleur écœurante, cogne contre nos mollets nus, et comme il a été trop rempli, les secousses le font immanquablement déborder sur nos pieds; aussi, pour répugnante que soit la besogne, mieux vaut-il encore l'exécuter soi-même que de la voir confier à son voisin de couchette.

Ainsi se traînent nos nuits. Le rêve de Tantale et le rêve du récit s'insèrent dans une trame d'images plus indistinctes : les souffrances de la journée, où entrent la faim, les coups, le froid, la fatigue, la peur et la promiscuité, se muent la nuit en cauchemars informes, d'une violence inouïe, comme on n'en peut faire, dans la vie courante, que pendant une nuit de fièvre. Nous nous éveillons à tout moment, glacés de terreur, encore sous le coup d'un ordre, crié par une voix haineuse, et dans une langue que nous ne comprenons pas. La procession au seau et le bruit sourd des talons sur le plancher se fondent dans l'image symbolique d'une autre procession : nous sommes serrés les uns contre les autres, gris et interchangeables, petits comme des fourmis et grands jusqu'à toucher les étoiles, innombrables, couvrant la plaine jusqu'à l'horizon; tantôt confondus en une même substance, un amalgame angoissant dans lequel nous nous sentons englués, étouffés; tantôt en marche pour une ronde sans commencement ni fin, éblouis de vertiges, chavirés de nausées; jusqu'à ce que la faim ou le froid ou le trop-plein de nos vessies reconduisent nos rêves à leurs proportions coutumières. Lorsque le cauchemar lui-même ou le malaise physique nous réveillent, nous cherchons en vain à en démêler les éléments et à les refouler hors du champ de notre conscience afin d'empêcher leur intrusion dans notre sommeil : mais nous n'avons pas plus tôt fermé les yeux que nous sentons notre cerveau se remettre en marche indépendamment de notre volonté : il bourdonne, il ronfle, incapable de repos, il fabrique des fantasmes et des symboles terrifiants dont il trace et fait mouvoir sans répit les contours brumeux sur l'écran de nos rêves.

Mais durant toute la nuit, à travers toutes les alternances de sommeil, de conscience et de cauchemars, veillent en nous l'attente et la terreur du réveil : grâce à cette mystérieuse faculté que bien des gens connaissent, nous sommes capables, même sans montre, d'en prévoir l'instant avec la plus grande précision. A l'heure du réveil, qui varie selon la saison mais tombe toujours bien avant l'aube, la cloche du camp retentit longuement, et dans chaque baraque le garde de nuit termine son service : il allume les lumières, se lève, s'étire et prononce le verdict quotidien : « Aufstehen », ou plus fréquemment, en polonais, « Wstawać ».

Rares sont ceux que le « Wstawać » trouve encore endormis : c'est un moment de douleur trop intense pour que le sommeil le plus lourd ne se dissipe pas à son approche. Le garde de nuit le sait bien : loin de prendre un ton de commandement, il parle d'une voix basse et unie, car il sait que son appel trouvera toutes les oreilles attentives, qu'il sera entendu et obéi.

La parole étrangère tombe comme une pierre au fond de toutes les consciences. « Debout » : l'illusoire barrière des couvertures chaudes, la mince cuirasse du sommeil, le tourment même de l'évasion nocturne se désagrègent autour de nous, et nous nous réveillons définitivement, irrémédiablement, offerts sans défense aux outrages, atrocement nus et vulnérables. Un jour commence, pareil aux autres jours, si long qu'on ne peut raisonnablement en concevoir la fin, tant il y a de froid, de faim et de fatigue qui nous en séparent. Aussi vaut-il mieux concentrer notre attention et notre désir sur le morceau de pain gris qui, en dépit de sa petitesse, sera immanquablement à nous d'ici une heure, et constituera, pendant les cinq minutes qu'il nous faudra pour le dévorer, tout ce que la loi du camp nous autorise à posséder.

Le Wstawać déclenche la tempête quotidienne. La baraque tout entière est brusquement saisie d'une activité frénétique : chacun monte et descend, refait sa couchette tout en cherchant à enfiler ses vêtements de manière à ne rien laisser traîner sans surveillance ; l'air s'emplit de poussière à en devenir opaque ; les plus rapides fendent la cohue à coups de coude pour gagner les lavabos et les latrines avant qu'il n'y ait la queue. Aussitôt les balayeurs entrent en scène et mettent tout le monde dehors à grand renfort de coups et de hurlements.

Après avoir refait ma couchette et m'être habillé, je descends sur le plancher et enfile mes chaussures. Alors les plaies de mes pieds se rouvrent, et une nouvelle journée commence.

6

LE TRAVAIL

Avant Resnyk, celui qui dormait avec moi était un Polonais dont personne ne connaissait le nom. Paisible et silencieux, il avait deux vieilles plaies aux tibias et dégageait la nuit une répugnante odeur de maladie; et comme il était faible de la vessie, il se réveillait et me réveillait huit à dix fois par nuit.

Un soir, il m'a laissé ses gants à garder et est entré à l'infirmerie. L'espace d'une demi-heure, j'ai espéré que le fourrier oublierait que j'étais resté seul à occuper la couchette, mais alors que l'extinction des feux avait déjà sonné, la couchette a grincé et un long type roux portant le numéro des Français de Drancy s'est hissé à côté de moi.

Avoir un compagnon de lit de haute taille est une véritable calamité, cela veut dire perdre des heures de sommeil. Et moi, justement, je me retrouve toujours avec des grands parce que je suis petit et qu'il n'y a pas la place ici pour deux grands ensemble. Mais il s'est vite avéré que Resnyk n'était pas pour autant un mauvais compagnon. Il parlait peu et poliment, il était propre, il ne ronflait pas, il ne se levait que deux ou trois fois par nuit, et toujours avec précaution. Le matin, il s'est proposé de faire le lit (opération laborieuse et compliquée, et qui comporte une responsabilité considérable, vu que ceux qui font mal leur lit, les « schlechte Bettenbauer », sont punis sans retard), et il l'a fait vite et bien; aussi n'ai-je pas été fâché de voir plus tard, place de l'Appel, qu'il avait été mis dans mon Kommando.

Sur le chemin du travail, chancelants dans nos gros sabots sur la neige gelée, nous avons échangé quelques mots, et j'ai appris que Resnyk était polonais; bien qu'il ait vécu vingt ans à Paris, il parle un français impossible. Il a trente ans, mais, comme à chacun de nous, vous lui en donneriez aussi bien dix-sept que cinquante. Il m'a raconté son histoire, et aujourd'hui je l'ai oubliée, mais c'était à coup sûr une histoire douloureuse, cruelle et touchante, comme le sont toutes nos histoires, des centaines de milliers d'histoires toutes différentes et toutes pleines d'une étonnante et tragique nécessité. Le soir, nous nous les racontons entre nous : elles se sont déroulées en Norvège, en Italie, en Algérie, en Ukraine, et elles sont simples et incompréhensibles comme les histoires de la Bible. Mais ne sont-elles pas à leur tour les histoires d'une nouvelle Bible?

Lorsque nous sommes arrivés au chantier, on nous a conduits à la Eisenröhreplatz, l'esplanade où on décharge les tuyaux en fer, puis les formalités habituelles ont commencé. Le Kapo a refait l'appel, il a rapidement pris note du nouveau venu, il s'est mis d'accord avec le Meister civil sur le travail de la journée. Après quoi il nous a confiés au Vorarbeiter et s'en est allé dormir dans la cabane à outils, près du poêle. C'est un Kapo qui nous laisse tranquilles : comme il n'est pas juif, il n'a pas peur de perdre sa place. Le Vorarbeiter a distribué les vérins à ses amis, et à nous les leviers en fer ; comme d'habitude, il y a eu un court moment de lutte à qui prendrait les leviers les plus légers, et aujourd'hui je me suis mal débrouillé : j'ai un levier tout tordu et qui pèse au moins quinze kilos ; je sais déjà que même si j'avais à m'en servir à vide, je serais mort de fatigue au bout d'une demi-heure.

Nous voilà partis, chacun avec son levier, boitant dans la neige qui commence à fondre. A chaque pas, un peu de neige et de boue s'attache à nos semelles en bois, tant et si bien qu'on finit par marcher sur deux amas informes et pesants dont on n'arrive pas à se débarrasser ; à l'improviste, l'un des deux se détache, et alors c'est comme si on avait une jambe plus courte que l'autre de dix centimètres.

Aujourd'hui, il nous faut décharger du wagon un énorme cylindre de fonte : je crois bien que c'est un tube de synthèse, il doit peser plusieurs tonnes. Dans un sens c'est préférable pour nous, car il est bien connu qu'on se fatigue moins avec les gros poids qu'avec les petits : le travail en effet est mieux réparti, et on nous donne les outils nécessaires; mais c'est quand même un travail dangereux qui demande une concentration continue; il suffit d'un moment d'inattention pour être entraîné par la masse.

Meister Nogalla, le contremaître polonais, raide, sérieux, taciturne, a personnellement surveillé la manœuvre. Le cylindre de fonte repose maintenant sur le sol et Meister Nogalla dit : « Bohlen holen ».

Le cœur nous manque. Cela veut dire : « porter des traverses », pour construire dans la boue molle la voie sur laquelle le cylindre sera roulé à l'aide des leviers jusqu'à l'intérieur de l'usine. Mais les traverses sont encastrées dans le sol et pèsent quatre-vingts kilos, ce qui représente à peu près la limite de nos forces. Les plus robustes d'entre nous, en s'y mettant à deux, pourront transporter des traverses pendant quelques heures; pour moi, c'est une torture, le poids me scie en deux la clavicule; au bout du premier voyage je suis sourd et presque aveugle tant l'effort est violent, et je serais prêt aux pires bassesses pour échapper au second.

Je vais essayer de faire équipe avec Resnyk, qui m'a l'air d'un bon travailleur; et puis comme il est grand, ce sera lui qui supportera la plus grande partie du poids. Mais je sais que je dois m'attendre à ce que Resnyk me repousse avec dédain et se mette avec quelqu'un de sa taille; alors, je demanderai la permission d'aller aux latrines, j'y resterai le plus longtemps possible, et puis je chercherai à me cacher, tout en étant bien certain que je serai aussitôt repéré, hué et battu ; mais tout vaut mieux que ce travail.

Eh bien non. Resnyk accepte ; bien plus, il soulève tout seul la traverse et me la pose avec précaution sur l'épaule droite, puis il relève l'autre extrémité, la cale sur son épaule gauche, et nous partons.

La traverse est couverte de neige et de boue ; à chaque pas elle me rabote l'oreille et la neige me coule dans le cou. Au bout d'une cinquantaine de pas, je suis à la limite de ce qu'on appelle la capacité normale de résistance : mes genoux fléchissent, mon épaule me fait mal comme si on la serrait dans un étau, mon équilibre est chancelant. A chaque pas, je sens mes souliers comme aspirés par la boue avide, par cette boue polonaise omniprésente dont l'horreur monotone remplit nos journées.

Je me mords profondément les lèvres : nous savons tous, ici, qu'une petite douleur provoquée volontairement réussit à stimuler nos dernières réserves d'énergie. Les Kapos aussi le savent : il y a ceux qui nous frappent par pure bestialité, mais il en est d'autres qui, lorsque nous sommes chargés, le font avec une nuance de sollicitude, accompagnant leurs coups d'exhortations et d'encouragements, comme font les charretiers avec leurs braves petits chevaux.

Arrivés au cylindre, nous déchargeons la traverse, et je reste planté là, les yeux vides, bouche ouverte et bras ballants, plongé dans l'extase éphémère et négative de la cessation de la douleur. Dans un crépuscule d'épuisement, j'attends la bourrade qui m'obligera à reprendre le travail, et j'essaie de profiter de chaque seconde de cette attente pour récupérer quelque énergie.

Mais la bourrade ne vient pas; Resnyk me touche le coude; le plus lentement possible, nous retournons aux traverses; là, deux par deux, les autres vont et viennent en cherchant à retarder le plus possible le moment de repartir avec un nouveau chargement.

« *Allons, petit, attrape.* » Cette fois, la traverse est sèche et un peu plus légère, mais à la fin du second voyage, je vais trouver le Vorarbeiter et je lui demande la permission d'aller aux latrines.

Nous avons cette chance que nos latrines sont assez éloignées, ce qui nous permet, une fois par jour, de nous absenter un peu plus longtemps que prévu; comme il est interdit d'y aller tout seuls, c'est Wachsmann, le plus faible et le plus maladroit du Kommando, qui a été investi de la charge de Scheissbegleiter, « accompagnateur aux latrines »; à ce titre, Wachsmann est responsable de toute tentative d'évasion (hypothèse risible!) et, de façon plus réaliste, de tout retard de notre part.

La permission m'ayant été accordée, me voilà parti au milieu de la boue, de la neige grise et des morceaux de ferraille, escorté par le petit Wachsmann. Avec lui, je n'arrive pas à communiquer car nous n'avons aucune langue en commun; mais ses camarades m'ont dit que c'était un rabbin, et même un Melamed, un connaisseur de la Thora, et que de plus, dans son village de Galicie, il passait pour être guérisseur et thaumaturge. Et pour ma part je ne suis pas loin de le croire, sinon comment aurait-il fait, fluet, fragile et paisible comme il est, pour réussir à travailler pendant deux ans sans tomber malade et sans mourir ? Et comment expliquer cette stupéfiante vitalité qui éclate dans son regard et dans sa voix, et qui lui permet de passer des soirées entières à discuter d'obscures questions talmudiques en yiddish et en hébreu avec Mendi, le rabbin moderniste ?

Les latrines sont un havre de paix. Ce sont des latrines provisoires, que les Allemands n'ont pas encore munies de ces bat-flanc de bois qui séparent d'ordinaire les différents compartiments : « Nur für Engländer », « Nur für Polen », « Nur für Ukrainische Frauen » et ainsi de suite, et, un peu à l'écart, « Nur für Häftlinge ». Trois Häftlinge faméliques sont assis à l'intérieur, épaule contre épaule ; un vieil ouvrier russe barbu portant au bras gauche le brassard bleu OST ; un jeune Polonais avec un grand P blanc dans le dos et sur la poitrine ; un prisonnier de guerre anglais, le teint rose et le visage soigneusement rasé, vêtu d'un uniforme kaki bien repassé, bien propre, impeccable en dépit de la grosse marque KG (Kriegsgefangener) qui s'étale dans son dos. Un quatrième Häftling se tient sur le pas de la porte, et à chaque civil qui entre en dégrafant sa ceinture, il demande inlassablement, d'une voix monocorde :

— *Êtes-vous français?*

En retournant au travail, on voit passer les camions de la cantine, ce qui veut dire qu'il est dix heures. C'est une heure honnête, la pause de midi se profile déjà dans la brume d'un lointain avenir, et nous pouvons commencer à puiser un peu d'énergie dans l'attente.

Resnyk et moi faisons encore deux ou trois voyages, mettant tous nos soins à repérer des traverses légères, quitte à pousser jusqu'aux piles les plus éloignées; mais à l'heure qu'il est toutes les meilleures ont déjà été emportées, et il ne reste plus que les autres, atroces, hérissées d'arêtes vives, alourdies par la boue, la glace, et les plaques métalliques clouées dessus pour le fixage des rails.

Quand Franz vient appeler Wachsmann pour aller chercher la soupe, c'est qu'il est onze heures : la matinée est presque terminée, et nul ne se soucie de l'après-midi. Ensuite, c'est le retour de la corvée, à onze heures et demie, avec l'interrogatoire d'usage : combien de soupe aujourd'hui? Comment est-elle? Du dessus ou du fond du baquet? Moi, je m'efforce de ne pas les poser, ces questions-là, mais je ne peux m'empêcher de tendre l'oreille aux réponses et le nez à la fumée que le vent apporte des cuisines.

Enfin, tel un météore céleste, surhumaine et impersonnelle comme un avertissement divin, retentit la sirène de midi, qui vient mettre un terme à nos fatigues et à nos faims anonymes et uniformes. Et de nouveau, la routine : nous accourons tous à la baraque, et nous nous mettons en rang gamelle tendue, et nous mourons tous de l'envie animale de sentir le liquide chaud au plus profond de nos viscères, mais personne ne veut être le premier, parce que le premier a pour lot la ration la plus liquide. Comme d'habitude, le Kapo nous couvre de railleries et d'insultes pour notre voracité, et se garde bien de remuer le contenu de la marmite puisque le fond lui revient d'office. Puis vient la béatitude (positive, celle-là, et viscérale) de la détente et de la chaleur dans notre ventre et tout autour de nous, dans la cabane où le poêle ronfle. Les fumeurs, avec des gestes avares et pieux, roulent une maigre cigarette, et de tous nos habits, trempés de boue et de neige, s'élève à la chaleur du poêle une épaisse buée qui sent le chenil et le troupeau.

Un accord tacite veut que personne ne parle : en l'espace d'une minute, nous dormons tous, serrés coude à coude, avec de brusques chutes en avant, et des sursauts en arrière, le dos raidi. Derrière les paupières à peine closes, les rêves jaillissent avec violence, et une fois encore, ce sont les rêves habituels. Nous sommes chez nous, en train de prendre un merveilleux bain chaud. Nous sommes chez nous, assis à table. Nous sommes chez nous en train de raconter notre travail sans espoir, notre faim perpétuelle, notre sommeil d'esclaves.

Et puis, au milieu des vapeurs lourdes de nos digestions, un noyau douloureux commence à se former, il nous oppresse, il grossit jusqu'à franchir le seuil de notre conscience, et nous dérobe la joie du sommeil. « Es wird bald ein Uhr sein » : bientôt une heure. Comme un cancer rapide et vorace, il fait mourir notre sommeil et nous étreint d'une angoisse anticipée : nous tendons l'oreille au vent qui siffle dehors et au léger frôlement de la neige contre la vitre, « es wird schnell ein Uhr sein ». Tandis que nous nous agrippons au sommeil pour qu'il ne nous abandonne pas, tous nos sens sont en alerte dans l'attente horrifiée du signal qui va venir, qui approche, qui...

Le voici. Un choc sourd contre la vitre, Meister Nogalla a lancé une boule de neige sur le carreau, et maintenant il nous attend dehors, raide, brandissant sa montre, le cadran tourné vers nous. Le Kapo se met debout, s'étire et dit sans hausser le ton, à la manière de ceux qui ne doutent pas d'être obéis : « Alles heraus. » Tout le monde dehors.

Oh, pouvoir pleurer ! Oh, pouvoir affronter le vent comme nous le faisions autrefois, d'égal à égal, et non pas comme ici, comme des vers sans âme !

Nous sommes dehors, et chacun reprend son levier ; Resnyk rentre la tête dans les épaules, enfonce son calot sur ses oreilles et lève les yeux vers le ciel bas et gris qui souffle inexorablement ses tourbillons de neige : « *Si j'avey une chien, je ne le chasse pas dehors.* »

7

UNE BONNE JOURNÉE

La conviction que la vie a un but est profondément ancrée dans chaque fibre de l'homme, elle tient à la nature humaine. Les hommes libres donnent à ce but bien des noms différents, et s'interrogent inlassablement sur sa définition : mais pour nous la question est plus simple.

Ici et maintenant, notre but, c'est d'arriver au printemps. Pour le moment, nous n'avons pas d'autre souci. Au-delà de cet objectif, point d'autre objectif pour le moment. Lorsque, au petit matin, en rang sur la place de l'Appel, nous attendons interminablement l'heure de partir au travail, tandis que chaque souffle de vent pénètre sous nos vêtements et secoue de frissons violents nos corps sans défense, gris dans le gris qui nous entoure ; au petit matin, alors qu'il fait encore nuit, tous les visages scrutent le ciel à l'est, pour guetter les premiers indices de la saison douce, et chaque jour le lever du soleil alimente les commentaires : aujourd'hui un peu plus tôt qu'hier ; aujourd'hui un peu plus chaud qu'hier ; d'ici deux mois, d'ici un mois, le froid nous laissera quelque répit et nous aurons un ennemi de moins.

Aujourd'hui pour la première fois, le soleil s'est levé vif et clair au-dessus de l'horizon de boue. C'est un soleil polonais, blanc, froid, lointain, qui ne réchauffe que la peau, mais lorsqu'il s'est dégagé des dernières brumes, un murmure a parcouru notre multitude incolore, et quand à mon tour j'en ai senti la tiédeur à travers mes vêtements, j'ai compris qu'on pouvait adorer le soleil.

— Das Schlimmste ist vorüber, dit Ziegler en offrant au soleil ses épaules anguleuses : le pire est passé. Nous avons à nos côtés un groupe de Grecs, de ces admirables et terribles juifs de Salonique, tenaces, voleurs, sages, féroces et solidaires, si acharnés à vivre et si impitoyables dans la lutte pour la vie ; de ces Grecs qu'on trouve partout aux premières places, aux cuisines comme sur les chantiers, respectés par les Allemands et redoutés des Polonais. Ils en sont à leur troisième année de détention, et ils savent mieux que quiconque ce qu'est le Lager. Les voici maintenant regroupés en cercle, épaule contre épaule, en train de chanter une de leurs interminables cantilènes.

Felicio le Grec me connaît : « *L'année prochaine à la maison !* me crie-t-il ; et il ajoute : ... *à la maison par la cheminée !* » Felicio a été à Birkenau. Et ensemble ils continuent à chanter, tapent du pied en cadence et se soûlent de chansons.

Lorsque, enfin, nous sommes sortis par la grande porte du camp, le soleil était déjà assez haut et le ciel serein. On voyait les montagnes au sud, et à l'ouest, familier et incongru, le clocher d'Auschwitz (un clocher, ici !), puis, tout autour, les ballons captifs du barrage. Les fumées de la Buna stagnaient dans l'air froid et on apercevait une file de collines basses et verdoyantes. Nous avons eu le cœur serré : nous avons beau savoir que là-bas, c'est le Lager de Birkenau, là où nos femmes ont disparu, là où nous finirons bientôt nous aussi, nous ne sommes pas habitués à le voir.

Pour la première fois, nous nous sommes aperçus qu'ici aussi, des deux côtés de la route, les prés sont verts : car un pré sans soleil ne saurait être vert.

La Buna, elle, n'a pas changé : la Buna est désespérément et intrinsèquement grise et opaque. Cet interminable enchevêtrement de fer, de ciment, de boue et de fumée est la négation même de la beauté. Ses rues et ses bâtiments portent comme nous des numéros ou des lettres, ou des noms inhumains et sinistres. Nul brin d'herbe ne pousse à l'intérieur de son enceinte, la terre y est imprégnée des résidus vénéneux du charbon et du pétrole et rien n'y vit en dehors des machines et des esclaves, et les esclaves moins encore que les machines.

La Buna est aussi grande qu'une ville. Outre les cadres et les techniciens allemands, quarante mille étrangers y travaillent, et on y parle au total quinze à vingt langues. Tous les étrangers habitent dans les différents Lager qui entourent la Buna : le Lager des prisonniers de guerre anglais, le Lager des Ukrainiennes, le Lager des travailleurs volontaires français, et d'autres que nous ne connaissons pas. Notre propre Lager (Judenlager, Vernichtungslager, Kazett) fournit à lui seul dix mille travailleurs qui viennent de tous les pays d'Europe ; et nous, nous sommes les esclaves des esclaves, ceux à qui tout le monde peut commander, et notre nom est le numéro que nous portons tatoué sur le bras et cousu sur la poitrine.

La Tour du Carbure, qui s'élève au centre de la Buna et dont le sommet est rarement visible au milieu du brouillard, c'est nous qui l'avons construite. Ses briques ont été appelées Ziegel, mattoni, tegula, cegli, kamenny, bricks, téglak, et c'est la haine qui les a cimentées ; la haine et la discorde, comme la Tour de Babel, et c'est le nom que nous lui avons donné : Babelturm, Bobelturm. En elle nous haïssons le rêve de grandeur insensée de nos maîtres, leur mépris de Dieu et des hommes, de nous autres hommes.

Aujourd'hui encore comme dans l'antique légende, nous sentons tous, y compris les Allemands, qu'une malédiction, non pas transcendante et divine, mais immanente et historique, pèse sur cet insolent assemblage, fondé sur la confusion des langues et dressé comme un défi au ciel, comme un blasphème de pierre.

Ainsi qu'on le verra, de l'usine de la Buna, sur laquelle les Allemands s'acharnèrent pendant quatre ans et dans laquelle une innombrable quantité d'entre nous souffrirent et moururent, il ne sortit jamais un seul kilo de caoutchouc synthétique.

Aujourd'hui pourtant, les flaques éternelles où tremble un reflet irisé de pétrole renvoient l'image d'un ciel serein. Les canalisations, les poutrelles, les chaudières, encore froides du gel nocturne, dégouttent de rosée. De la terre fraîche des déblais, des tas de charbon et des blocs de ciment, l'humidité de l'hiver s'exhale en un léger brouillard.

Aujourd'hui, c'est une bonne journée. Nous regardons autour de nous comme des aveugles qui recouvrent la vue, et nous nous entre-regardons. Nous ne nous étions jamais vus au soleil : quelqu'un sourit. Si seulement nous n'avions pas faim !

Car la nature humaine est ainsi faite, que les peines et les souffrances éprouvées simultanément ne s'additionnent pas totalement dans notre sensibilité, mais se dissimulent les unes derrière les autres par ordre de grandeur décroissante selon les lois bien connues de la perspective. Mécanisme providentiel qui rend possible notre vie au camp. Voilà pourquoi on entend dire si souvent dans la vie courante que l'homme est perpétuellement insatisfait : en réalité, bien plus que l'incapacité de l'homme à atteindre à la sérénité absolue, cette opinion révèle combien nous connaissons mal la nature complexe de l'état de malheur, et combien nous nous trompons en donnant à des causes multiples et hiérarchiquement subordonnées le nom unique de la cause principale ; jusqu'au moment où, celle-ci venant à disparaître, nous découvrons avec une douloureuse surprise que derrière elle il y en a une autre, et même toute une série d'autres.

Aussi le froid — le seul ennemi, pensions-nous cet hiver — n'a-t-il pas plus tôt cessé que nous découvrons la faim : et, retombant dans la même erreur, nous disons aujourd'hui : « Si seulement nous n'avions pas faim !... »

Mais comment pourrions-nous imaginer ne pas avoir faim ? Le Lager *est* la faim : nous-mêmes nous sommes la faim, la faim incarnée.

De l'autre côté de la route une drague est en train de manœuvrer. La benne, suspendue aux câbles, ouvre toutes grandes ses mâchoires dentées, se balance un instant, comme indécise, puis fond sur la terre argileuse et molle, et mord dedans avec voracité, tandis que la cabine de commandes éructe avec satisfaction une épaisse bouffée de fumée blanche. Puis la benne remonte, décrit un demi-cercle, recrache derrière elle son énorme bouchée et recommence.

Appuyés à nos pelles, nous regardons, fascinés. A chaque coup de dent de la benne, les bouches s'entrouvrent, les pommes d'Adam montent et descendent, pitoyablement visibles sous la peau distendue. Nous n'arrivons pas à nous arracher au spectacle du repas de la drague.

Sigi a dix-sept ans, et bien qu'il reçoive tous les soirs un peu de soupe d'un protecteur vraisemblablement non désintéressé, c'est le plus affamé de tous. Il avait commencé par parler de sa maison à Vienne et de sa mère, puis il a obliqué sur le chapitre de la cuisine, et le voilà maintenant fourvoyé dans le récit sans fin de je ne sais quel repas de noces au cours duquel — et il en parle avec un regret sincère — il n'avait pas fini sa troisième assiettée de soupe aux haricots. Tout le monde le fait taire, mais dix minutes plus tard, c'est Béla qui nous décrit sa campagne hongroise, et les champs de maïs, et une recette pour préparer la polenta douce, avec du maïs grillé, et du lard, et des épices, et... et les insultes et les malédictions pleuvent, et un troisième commence à raconter...

Comme notre chair est faible! Je me rends parfaitement compte combien sont vaines ces imaginations d'affamés, mais je n'en suis pas moins soumis à la loi commune, et voilà que danse devant mes yeux le plat de pâtes que nous venions de préparer, Vanda, Luciana, Franco et moi, au camp de transit, quand on est venu nous annoncer que nous devions partir le lendemain pour venir ici; nous étions en train de les manger (et elles étaient si bonnes, bien jaunes, fermes) et nous ne les avons pas finies, imbéciles, fous que nous étions: si nous avions su... Et si ça devait nous arriver une autre fois... Mais c'est absurde; si une chose est certaine en ce monde, c'est bien que ça ne nous arrivera jamais une autre fois.

Fischer, le dernier arrivé, tire de sa poche un paquet confectionné avec la minutie caractéristique des Hongrois et en sort une demi-ration de pain: la moitié du pain de ce matin. Il n'y a que les Gros Numéros, c'est bien connu, qui conservent leur pain en poche; nous autres, les anciens, nous ne sommes pas même capables de le garder une heure. Différentes théories tentent de justifier cette incapacité : le pain qu'on mange petit à petit n'est pas complètement assimilé par l'organisme ; la tension nerveuse dépensée pour conserver son pain sans l'entamer tout en ayant faim est nocive et débilitante au plus haut point ; le pain rassis perd rapidement de son pouvoir nutritif, si bien que plus vite il est ingéré, plus il est nourrissant ; pour Albert, la faim et le pain en poche sont des termes qui se neutralisent automatiquement l'un l'autre, et qui ne peuvent donc coexister chez un même individu ; la plupart, enfin, soutiennent à juste titre que l'estomac est le coffre-fort le plus sûr contre les vols et les extorsions. « *Moi, on m'a jamais volé mon pain !* » ricane David en tapant sur son estomac creux : mais il n'arrive pas à quitter des yeux Fischer, qui mâche, lentement, méthodiquement, l'« heureux » Fischer qui possède encore une demi-ration à dix heures du matin : « *... sacré veinard, va !* »

Mais ce n'est pas seulement à cause du soleil qu'aujourd'hui est un jour heureux : il y a une surprise pour nous à midi. En plus de l'ordinaire du matin, nous trouvons dans la baraque une merveilleuse marmite de cinquante litres, presque pleine, qui arrive tout droit des cuisines de l'usine. Templer nous lance un regard de triomphe : cette trouvaille est son œuvre.

Templer est l'« organisateur » officiel de notre Kommando : il a pour la soupe des civils cette sensibilité toute particulière qu'ont les abeilles pour les fleurs. Notre Kapo, qui n'est pas un mauvais Kapo, lui laisse carte blanche, et il s'en trouve bien ; tel un limier, Templer suit au départ une piste imperceptible, et revient immanquablement avec quelque nouvelle précieuse : ce sont les ouvriers polonais du Méthanol, à deux kilomètres de là, qui ont laissé quarante litres de soupe parce qu'elle avait un goût de rance, ou bien c'est un wagon de navets qui est resté abandonné sans surveillance sur la voie de garage des cuisines de l'usine.

Aujourd'hui il y a cinquante litres à partager, et nous sommes quinze, Kapo et Vorarbeiter compris. Ça nous fait trois litres chacun : un litre à midi en plus de l'ordinaire, et pour les deux autres on ira à la baraque à tour de rôle dans l'après-midi, et on bénéficiera exceptionnellement de cinq minutes de pause pour faire le plein.

Que désirer de plus ? Avec la perspective des deux litres épais et chauds qui nous attendent dans la baraque, même le travail nous paraît léger. A intervalles réguliers, le Kapo s'approche de nous et demande :

— Wer hat noch zu fressen ?

Et s'il emploie ce terme-là, ce n'est pas par dérision ou sarcasme, mais parce que notre façon de manger, debout, goulûment, en nous brûlant la bouche et la gorge, sans prendre le temps de respirer, c'est bien celle des animaux, qu'on désigne par « fressen », par opposition à « essen », qui s'applique aux hommes, au repas pris autour d'une table, religieusement. « Fressen » est le mot

115

propre, celui que nous employons couramment entre nous.

Meister Nogalla, qui assiste à la scène, ferme les yeux sur nos courtes absences. Meister Nogalla a l'air d'avoir faim lui aussi, et n'étaient les conventions sociales, peut-être ne refuserait-il pas un litre de notre soupe chaude.

Arrive le tour de Templer, à qui ont été décernés à l'unanimité cinq litres prélevés sur le fond de la marmite. Car Templer n'est pas seulement un fameux débrouillard, c'est aussi un exceptionnel mangeur de soupe, capable — performance unique — de vider ses intestins sur commande en perspective d'un repas copieux, accroissant ainsi son étonnante capacité gastrique.

Ce don, connu de tous et même de Meister Nogalla, le remplit d'un juste orgueil. Accompagné de la gratitude générale, Templer, notre bienfaiteur à tous, se retire quelques instants dans les latrines, en ressort frais et dispos, et s'en va sous les regards bienveillants jouir du fruit de son ouvrage :

— Nun, Templer, hast du Platz genug für die Suppe gemacht ?

Au coucher du soleil, la sirène du Feierabend retentit, annonçant la fin du travail ; et comme nous sommes tous rassasiés — pour quelques heures du moins —, personne ne se dispute, nous nous sentons tous dans d'excellentes dispositions, le Kapo lui-même hésite à nous frapper, et nous sommes alors capables de penser à nos mères et à nos femmes, ce qui d'ordinaire ne nous arrive jamais. Pendant quelques heures, nous pouvons être malheureux à la manière des hommes libres.

8

EN DEÇÀ DU BIEN ET DU MAL

Nous avions une incorrigible propension à voir dans tout événement un symbole ou un signe. Il y avait maintenant soixante-dix jours que le Wäschetauschen, la cérémonie du changement de linge, se faisait attendre, et déjà le bruit courait avec insistance que si le linge de rechange tardait, c'était à cause du front dont la progression empêchait les transports allemands d'arriver jusqu'à Auschwitz ; et « donc » cela voulait dire que notre libération était proche, ou bien, selon une interprétation contraire, ce retard était le signe certain qu'on allait procéder sous peu à la liquidation générale du camp. Mais le changement de linge arriva et comme d'habitude la direction du Lager prit ses dispositions pour que l'opération eût lieu à l'improviste et dans toutes les baraques en même temps.

Il faut savoir en effet qu'au Lager l'étoffe est rare et précieuse ; le seul moyen que nous ayons de nous procurer un bout de chiffon pour nous moucher ou pour nous faire des chaussettes russes est justement de couper un morceau de chemise lors du changement de linge. Si la chemise a des manches longues, on coupe les manches ; sinon on se contente d'un rectangle pris sur le bas ou bien on découd une des nombreuses pièces. En tout cas, il faut un certain temps pour se procurer une aiguille et du fil, et pour exécuter artistement le travail afin que le dommage ne soit pas trop apparent au moment du ramassage. Le linge sale et déchiré passe pêle-mêle au Service Couture du camp, où il est sommairement rapiécé, et de là à la désinfection à la vapeur (pas au lavage !), pour être ensuite redistribué ; d'où la nécessité — pour préserver le linge de ces mutilations — de procéder au changement à l'improviste.

Mais, comme toujours, il s'est trouvé des indiscrets pour glisser un coup d'œil sous la bâche du chariot qui sortait de la désinfection, si bien qu'en quelques minutes tout le camp était au courant qu'un Wäschetauschen se préparait et qu'en plus il s'agissait cette fois-ci de chemises neuves provenant d'un transport de Hongrois arrivé trois jours plus tôt.

La nouvelle a eu un effet immédiat. Tous les détenteurs d'une deuxième chemise volée ou obtenue par combine, ou même honnêtement achetée avec du pain — pour se protéger du froid ou pour placer leur capital en un moment de prospérité —, tous ceux-là se sont précipités à la Bourse dans l'espoir d'arriver à temps pour échanger leur chemise de réserve contre des produits de consommation, avant que l'afflux des chemises neuves ou la certitude de leur arrivée ne dévalue irrémédiablement le prix de leur article.

L'activité de la Bourse est sans relâche. Bien que tout échange et même toute forme de possession soient formellement interdits, et malgré les fréquentes rafles de Kapos ou de Blockälteste qui de temps à autre provoquent une débandade confuse de marchands, de clients et de curieux, envers et contre tout, dès que les équipes sont rentrées du travail, le coin nord-est du Lager — l'endroit, fait significatif, le plus éloigné des baraques des SS — est occupé en permanence par une tumultueuse assemblée qui siège en plein air l'été et dans des lavabos l'hiver.

On y voit rôder par dizaines, les lèvres entrouvertes et les yeux brillants, les désespérés de la faim, poussés par un instinct trompeur là où les marchandises offertes rendent plus creux l'estomac vide et plus abondante la salivation. Ils viennent là munis, dans le meilleur des cas, d'une misérable demi-ration de pain économisée depuis le matin au prix d'efforts douloureux, dans l'espoir insensé d'un troc avantageux avec quelque naïf, ignorant des cotations du jour. Certains d'entre eux, avec une patience farouche, parviennent à échanger leur demi-ration contre un litre de soupe. Puis, un peu à l'écart, ils procèdent à l'extraction méthodique des quelques morceaux de pommes de terre qui se trouvent au fond ; après quoi, ils échangent cette soupe contre du pain, et le pain contre un nouveau litre de soupe qu'ils traiteront comme le premier, et ainsi de suite jusqu'à ce que leurs nerfs cèdent, ou que l'une de leurs victimes, les prenant sur le fait, leur inflige une sévère leçon en les livrant à la raillerie publique. Autres représentants de cette espèce, ceux qui viennent à la Bourse pour vendre leur unique chemise ; ils savent bien ce qui les attend, à la première occasion, quand le Kapo découvrira qu'ils sont nus sous leur veste. Le Kapo leur demandera ce qu'ils ont fait de leur chemise, pure formalité qui sert d'entrée en matière. Ils répondront qu'on la leur a volée aux lavabos, simple réponse d'usage elle aussi, et qui n'a pas la prétention d'être crue. En réalité même les pierres du Lager savent que, quatre-vingt-dix-neuf fois sur cent, ceux qui n'ont plus de chemise l'ont vendue parce qu'ils avaient faim, et d'ailleurs chacun ici est responsable de sa chemise puisqu'elle est propriété du Lager. Alors le Kapo les frappera, on leur donnera une autre chemise, et tôt ou tard ils recommenceront.

Postés chacun dans son coin habituel, la Bourse accueille les marchands de profession ; au premier rang desquels les Grecs, immobiles et silencieux comme des sphinx, accroupis sur le sol derrière leurs gamelles de soupe épaisse, fruit de leur travail, de leurs trafics et de leur solidarité nationale. Les Grecs ne sont plus maintenant que très peu, mais leur contribution à la physionomie générale du camp et au jargon international qu'on y parle est de première importance. Tout le monde sait que « caravana » désigne la gamelle et que « la comedera es buena » veut dire que la soupe est bonne; quant à « klepsi-klepsi », cette expression qui laisse transparaître clairement son origine grecque sert à évoquer l'idée générale de vol. Ces quelques rescapés de la colonie juive de Salonique, au double langage, grec et espagnol, et aux activités multiples, sont les dépositaires d'une sagesse concrète, positive et consciente où confluent les traditions de toutes les civilisations méditerranéennes. Que cette sagesse se manifeste au camp par la pratique systématique et scientifique du vol, par la lutte acharnée pour accéder aux postes importants et par le monopole de la Bourse du troc, ne doit pas faire oublier que leur répugnance pour toute brutalité gratuite et leur incroyable sens de la persistance, au moins virtuelle, d'une dignité humaine, faisaient des Grecs, au Lager, le groupe national le plus cohérent et de ce point de vue le plus évolué.

A la Bourse, on rencontre aussi les spécialistes du vol aux cuisines avec leurs vestes mystérieusement gonflées. Alors que le prix de la soupe est à peu près stable (une demi-ration de pain pour un litre), le cours des navets, des carottes et des pommes de terre est extrêmement capricieux et fortement influencé, entre autres facteurs, par le zèle des gardiens de service aux entrepôts et par leur facilité à se laisser corrompre.

C'est également le lieu où l'on vend le Mahorca : le Mahorca est un tabac de rebut, qui se présente sous forme de filaments ligneux et qui est officiellement en vente à la Kantine, en paquets de cinquante grammes, contre versement de « bons-prime » que la Buna est censée distribuer aux meilleurs travailleurs. Mais cette distribution n'a lieu que très irrégulièrement, avec une grande parcimonie et une injustice flagrante, de sorte que la plupart des bons finissent, directement ou par abus d'autorité, entre les mains des Kapos et des prominents ; et pourtant les bons-prime de la Buna circulent sur le marché du Lager comme une véritable monnaie, et les variations de leur cours sont étroitement assujetties aux lois de l'économie classique.

Il y a eu des moments où avec un bon-prime on avait une ration de pain, puis une ration un quart et même une ration un tiers ; un jour la cotation a atteint une ration et demie, mais aussitôt après, le ravitaillement en Mahorca de la Kantine a été interrompu et, la couverture venant à manquer, le cours s'est effondré d'un seul coup à un quart de ration. Puis il a connu une autre période de hausse, pour un motif peu banal : la relève de la garde au Frauenblock, accompagnée de l'arrivée d'un contingent de robustes Polonaises. Comme le bon-prime donne droit (aux prisonniers de droit commun et aux politiques, pas aux juifs, qui d'ailleurs ne souffrent guère de cette restriction) à une entrée au Frauenblock, les intéressés se les sont arrachés en un clin d'œil, ce qui a entraîné une réévaluation immédiate mais de courte durée.

Les Häftlinge ordinaires qui recherchent le Mahorca pour leur consommation personnelle sont peu nombreux ; le plus souvent, le tabac sort du camp et aboutit entre les mains des travailleurs civils de la Buna. Voici un des types de combines les plus répandus : le Häftling qui a économisé d'une manière ou d'une autre une ration de pain l'investit en Mahorca ; il se met clandestinement en contact avec un « amateur » civil, qui achète le Mahorca en payant au comptant, avec une dose de pain supérieure à celle initialement investie. Le Häftling mange sa marge de bénéfice et remet en circulation la ration restante. Ce sont les spéculations de ce genre qui établissent un lien entre l'économie interne du camp et la vie économique du monde extérieur : lorsque la distribution du tabac à la population civile de Cracovie a été interrompue, les répercussions, au-delà de la barrière de fil barbelé qui nous sépare de la communauté humaine, se sont fait sentir immédiatement à l'intérieur du camp par une hausse sensible de la cotation du Mahorca et par suite du bon-prime.

Le cas qui vient d'être évoqué n'est que le plus simple : en voici un autre déjà plus complexe. Le Häftling achète avec du Mahorca ou du pain, ou bien se fait offrir par un civil une quelconque loque ayant nom de chemise, même sale et déchirée, mais encore pourvue de trois trous par où passer tant bien que mal la tête et les bras. Du moment qu'il ne montre que des signes d'usure et non de dégradations délibérées, un tel objet, au moment du Wäschetauschen, vaut pour une chemise et donne droit à un rechange ; au pis aller celui qui l'endosse recevra une correction en règle pour s'être montré négligent dans l'entretien des effets réglementaires.

Aussi, à l'intérieur du camp, n'y a-t-il pas grande différence de valeur entre une chemise digne de ce nom et un lambeau de tissu rapiécé ; le Häftling en question n'aura pas de mal à trouver un camarade en possession d'une chemise « commercialisable », mais sera dans l'impossibilité d'en tirer profit parce que l'endroit où il travaille, ou bien la langue, ou encore une incapacité intrinsèque l'empêchent d'entrer en contact avec des travailleurs civils. Ce camarade se contentera d'une petite quantité de pain en échange ; car le prochain Wäschetauschen rétablira une certaine forme d'équilibre en répartissant le linge en bon ou mauvais état de manière purement fortuite. De son côté, le premier Häftling pourra passer la chemise en bon état en contrebande à la Buna, et la vendre au civil de tout à l'heure (ou à un autre) pour quatre, six ou même dix rations de pain. Une marge de bénéfice de cette importance reflète la gravité du risque qu'on prend à sortir du camp avec plus d'une chemise sur le dos, ou à y rentrer sans chemise.

Les variations sur ce thème sont nombreuses. Certains n'hésitent pas à se faire arracher leurs couronnes en or pour les troquer à la Buna contre du pain ou du tabac ; mais dans la plupart des cas, ce trafic se fait par personne interposée. Un « gros numéro », c'est-à-dire un nouveau venu, arrivé depuis peu mais déjà suffisamment abruti par la faim et l'extrême tension que requiert la vie au camp, est repéré par un « petit numéro » en raison d'une coûteuse prothèse dentaire ; le « petit » offre au « gros » trois ou quatre rations de pain au comptant pour qu'il accepte de se la faire arracher. Si le gros est d'accord, le petit paie, emporte l'or à la Buna, et s'il est en contact avec un civil de confiance, dont il n'ait à craindre ni délation ni perfidie, il peut compter sur un gain de dix à vingt rations et plus, qui lui sont versées à tempérament, à raison d'une ou deux par jour. Il faut remarquer à ce propos que, contrairement à ce qui se passe à la Buna, le chiffre d'affaires maximum réalisable à l'intérieur du camp est de quatre rations de pain, car il serait pratiquement impossible aussi bien d'y conclure des contrats à crédit que d'y préserver de la convoitise d'autrui et de sa propre faim une plus grande quantité de pain.

Le trafic avec les civils fait partie intégrante de l'Arbeitslager et, comme on vient de le voir, il en conditionne la vie économique. Il constitue par ailleurs un délit explicitement prévu par le règlement du camp et assimilé aux crimes « politiques » ; aussi lui a-t-on réservé des peines particulièrement sévères. S'il ne dispose pas de protections en haut lieu, le Häftling convaincu de « Handel mit Zivilisten » se retrouve à Gleiwitz III, à Janina, ou à Heidebreck dans les mines de charbon ; ce qui veut dire la mort par épuisement au bout de quelques semaines. Quant au travailleur civil, son complice, il peut être déféré à l'autorité allemande compétente et condamné à passer en Vernichtungslager, dans les mêmes conditions que nous, une période qui, si mes informations sont bonnes, peut aller de quinze jours à huit mois. Les ouvriers qui subissent cette espèce de loi du talion sont comme nous dépouillés à l'entrée, mais leurs affaires personnelles sont mises de côté dans un magasin spécial. Ils ne sont pas tatoués et conservent leurs cheveux, ce qui les rend facilement reconnaissables, mais pendant toute la durée de la punition, ils sont soumis au même travail et à la même discipline que nous : sauf bien entendu en ce qui concerne les sélections.

Ils travaillent dans des Kommandos spéciaux et n'ont aucun contact avec les Häftlinge ordinaires. Pour eux en effet, le Lager représente une punition, et s'ils ne meurent pas de fatigue ou de maladie, il y a de fortes chances qu'ils retournent parmi les hommes ; s'ils pouvaient communiquer avec nous, cela constituerait une brèche dans le mur qui fait de nous des morts au monde, et contribuerait un peu à éclairer les hommes libres sur le mystère de notre condition. Pour nous, en revanche, le Lager n'est pas une punition ; pour nous aucun terme n'a été fixé, et le Lager n'est autre que le genre d'existence qui nous a été destiné, sans limites de temps, au sein de l'organisme social allemand.

Une section de notre camp, justement, est réservée aux travailleurs civils de toutes les nationalités qui doivent y séjourner pour une durée plus ou moins longue afin d'y expier leurs rapports illégitimes avec des Häftlinge. Cette section, séparée du reste du camp par des barbelés, est appelée E-Lager et ceux qu'elle abrite E-Häftlinge. « E » est l'initiale de « Erziehung », qui signifie « éducation ».

Tous les trafics dont il a été question jusqu'ici reposent sur la contrebande de matériel appartenant au Lager. C'est pourquoi les SS les punissent aussi sévèrement : même l'or de nos dents leur appartient, puisque, arraché aux mâchoires des vivants ou des morts, il finit tôt ou tard entre leurs mains. Il est donc tout naturel qu'ils prennent leurs dispositions pour que l'or ne sorte pas du camp.

Cependant, la direction n'a rien contre le vol en soi. Il suffit de voir de quelle indulgence les SS savent faire preuve quand il s'agit de contrebande en sens inverse.

Là, les choses sont généralement plus simples. Il suffit de voler ou de receler quelques-uns des divers outils, instruments, matériaux, produits, etc., que nous avons tous les jours à portée de la main durant notre travail à la Buna ; après quoi il faut les introduire au camp le soir, trouver le client, et les troquer contre du pain ou de la soupe. Ce trafic est particulièrement intense : pour certains articles, qui sont pourtant nécessaires à la vie normale du camp, le vol à la Buna est l'unique voie d'approvisionnement régulière. C'est le cas en particulier des balais, de la peinture, du fil électrique, de la graisse à chaussures.

Prenons par exemple le trafic de ce dernier produit. Comme nous l'avons indiqué plus haut, le règlement du camp exige que les chaussures soient graissées et astiquées chaque matin ; et chaque Blockältester est responsable devant les SS de l'exécution de cette disposition par tous les hommes de sa baraque. On pourrait donc penser que chaque baraque bénéficie périodiquement d'une certaine quantité de graisse à chaussures, mais il n'en est rien : le mécanisme est tout autre.

Il faut dire tout d'abord que chaque baraque reçoit tous les soirs une quantité de soupe passablement supérieure à la somme des rations réglementaires ; le surplus est partagé selon le bon vouloir du Blockältester, qui commence par prélever des suppléments à titre gracieux pour ses amis et protégés, puis les primes réservées aux balayeurs, aux gardiens de nuit, aux contrôleurs des poux et à tous les autres fonctionnaires-prominents de la baraque. Ce qui reste (et un Blockältester avisé s'arrange toujours pour qu'il reste quelque chose) sert précisément aux achats.

La suite va de soi : de retour au camp, les Häftlinge qui ont l'occasion, à la Buna, de remplir leur gamelle de graisse ou d'huile de machine (ou de quoi que ce soit d'autre : n'importe quelle substance noirâtre et huileuse fait l'affaire), font systématiquement le tour des baraques jusqu'à ce qu'ils trouvent un Blockältester qui manque de cet article ou qui veuille le stocker. D'ailleurs chaque baraque a généralement son fournisseur attitré, auquel elle verse un fixe journalier, à condition qu'il fournisse de la graisse chaque fois que la réserve est sur le point de s'épuiser.

Tous les soirs, à côté des portes des Tagesraüme, les groupes de fournisseurs attendent patiemment : ils font le pied de grue pendant des heures et des heures sous la pluie ou la neige, parlant avec animation en étouffant leur voix de questions relatives aux fluctuations des prix et à la valeur du bon-prime. De temps à autre quelqu'un se détache du cercle, fait un saut à la Bourse et revient avec les nouvelles de dernière heure.

En plus de ceux déjà cités, la Buna est une inépuisable réserve d'articles susceptibles d'être utilisés au Block, de plaire au Blockältester, de susciter l'intérêt ou la curiosité des prominents : ampoules électriques, brosses, savon ordinaire, savon à barbe, limes, pinces, sacs, clous ; on vend aussi de l'alcool méthylique dont on tire des breuvages, et de l'essence pour les briquets de production locale, véritables prodiges de l'artisanat clandestin du Lager.

Dans ce complexe réseau de vols et de contre-vols, alimentés par la sourde hostilité qui règne entre la direction des SS et les autorités de la Buna, le K.B. joue un rôle de première importance. Le K.B. est le lieu de moindre résistance, la soupape de sécurité qui permet le plus facilement de tourner le règlement et de déjouer la surveillance des chefs. Il est de notoriété publique que ce sont les infirmiers eux-mêmes qui remettent sur le marché, à bas prix, les vêtements et les chaussures des morts et des sélectionnés qui partent nus pour Birkenau ; ce sont eux encore, avec les médecins, qui exportent à la Buna les sulfamides destinés à la distribution interne et qui les vendent aux civils contre des denrées alimentaires.

Sans compter les énormes bénéfices réalisés sur le trafic des cuillères. Le Lager n'en fournit pas aux nouveaux venus, bien que la soupe semi-liquide qu'on y sert ne puisse être mangée autrement. Les cuillères sont fabriquées à la Buna, en cachette et dans les intervalles de temps libre, par les Häftlinge qui travaillent comme spécialistes dans les Kommandos de forgerons et de ferblantiers : ce sont des ustensiles pesants et mal dégrossis, taillés dans de la tôle travaillée au marteau et souvent munis d'un manche affilé qui sert de couteau pour couper le pain. Les fabricants eux-mêmes les vendent directement aux nouveaux venus : une cuillère simple vaut une demi-ration de pain, une cuillère-couteau trois quarts de ration. Or, s'il est de règle qu'on entre au K.B. avec sa cuillère, on n'en sort jamais avec. Au moment de partir et avant de recevoir leurs vêtements, les guéris en sont délestés par les infirmiers, qui les remettent en vente à la Bourse. Si on ajoute aux cuillères des guéris celles des morts et des sélectionnés, les infirmiers arrivent à empocher chaque jour le produit de la vente d'une cinquantaine de ces objets. Quant à ceux qui sortent de l'infirmerie, ils sont contraints de reprendre le travail avec un handicap initial d'une demi-ration de pain à investir dans l'achat d'une nouvelle cuillère.

Enfin le K.B. est le principal client et receleur des vols commis à la Buna : sur la part quotidienne de soupe destinée au K.B., une bonne vingtaine de litres est allouée au fonds-vols et sert à acheter aux spécialistes les articles les plus variés.

Il y a ceux qui volent de petits tuyaux de caoutchouc que le K.B. utilise pour les lavements et les sondes gastriques ; ceux qui viennent proposer des crayons et des encres de couleur, très demandés pour la comptabilité compliquée du bureau du K.B. ; à quoi s'ajoutent les thermomètres, les récipients en verre et les réactifs chimiques qui passent des entrepôts de la Buna aux poches des Häftlinge pour aboutir au K.B. comme matériel sanitaire.

Je voudrais préciser en outre, au risque de paraître immodeste, que c'est Alberto et moi qui avons eu l'idée de voler les rouleaux de papier millimétré des thermographes du Service Dessication, et de les offrir au médecin-chef du K.B. en lui suggérant d'en faire des tablettes pour les courbes de température.

Conclusion : le vol à la Buna, puni par la Direction civile, est autorisé et encouragé par les SS ; le vol au camp, sévèrement sanctionné par les SS, est considéré par les civils comme une simple modalité d'échange. Le vol entre Häftlinge est généralement puni, mais la punition frappe aussi durement le voleur que le volé.

Nous voudrions dès lors inviter le lecteur à s'interroger : que pouvaient bien justifier au Lager des mots comme « bien » et « mal », « juste » et « injuste » ? A chacun de se prononcer d'après le tableau que nous avons tracé et les exemples fournis ; à chacun de nous dire ce qui pouvait bien subsister de notre monde moral en deçà des barbelés.

9

LES ÉLUS ET LES DAMNÉS

Ainsi s'écoule la vie ambiguë du Lager, telle que j'ai eu et aurai l'occasion de l'évoquer. C'est dans ces dures conditions, face contre terre, que bien des hommes de notre temps ont vécu, mais chacun d'une vie relativement courte ; aussi pourra-t-on se demander si l'on doit prendre en considération un épisode aussi exceptionnel de la condition humaine, et s'il est bon d'en conserver le souvenir.

Eh bien, nous avons l'intime conviction que la réponse est oui. Nous sommes persuadés en effet qu'aucune expérience humaine n'est dénuée de sens ni indigne d'analyse, et que bien au contraire l'univers particulier que nous décrivons ici peut servir à mettre en évidence des valeurs fondamentales, sinon toujours positives. Nous voudrions faire observer à quel point le Lager a été, aussi et à bien des égards, une gigantesque expérience biologique et sociale.

Enfermez des milliers d'individus entre des barbelés, sans distinction d'âge, de condition sociale, d'origine, de langue, de culture et de mœurs, et soumettez-les à un mode de vie uniforme, contrôlable, identique pour tous et inférieur à tous les besoins : vous aurez là ce qu'il peut y avoir de plus rigoureux comme champ d'expérimentation, pour déterminer ce qu'il y a d'inné et ce qu'il y a d'acquis dans le comportement de l'homme confronté à la lutte pour la vie.

Non que nous nous rendions à la conclusion un peu simpliste selon laquelle l'homme serait foncièrement brutal, égoïste et obtus dès lors que son comportement est affranchi des superstructures du monde civilisé, en vertu de quoi le Häftling ne serait que l'homme sans inhibitions. Nous pensons plutôt qu'on ne peut rien conclure à ce sujet, sinon que sous la pression harcelante des besoins et des souffrances physiques, bien des habitudes et bien des instincts sociaux disparaissent.

Un fait, en revanche, nous paraît digne d'attention : il existe chez les hommes deux catégories particulièrement bien distinctes, que j'appellerai métaphoriquement les élus et les damnés. Les autres couples de contraires (comme par exemple les bons et les méchants, les sages et les fous, les courageux et les lâches, les chanceux et les malchanceux) sont beaucoup moins nets, plus artificiels semble-t-il, et surtout ils se prêtent à toute une série de gradations intermédiaires plus complexes et plus nombreuses.

Cette distinction est beaucoup moins évidente dans la vie courante, où il est rare qu'un homme se perde, car en général l'homme n'est pas seul et son destin, avec ses hauts et ses bas, reste lié à celui des êtres qui l'entourent. Aussi est-il exceptionnel qu'un individu grandisse indéfiniment en puissance ou qu'il s'enfonce inexorablement de défaite en défaite, jusqu'à la ruine totale. D'autre part, chacun possède habituellement de telles ressources spirituelles, physiques, et même pécuniaires, que les probabilités d'un naufrage, d'une incapacité de faire face à la vie, s'en trouvent encore diminuées. Il s'y ajoute aussi l'action modératrice exercée par la loi, et par le sens moral qui opère comme une loi intérieure ; on s'accorde en effet à reconnaître qu'un pays est d'autant plus évolué que les lois qui empêchent le misérable d'être trop misérable et le puissant trop puissant y sont plus sages et plus efficaces.

Mais au Lager il en va tout autrement : ici, la lutte pour la vie est implacable car chacun est désespérément et férocement seul. Si un quelconque Null Achtzehn vacille, il ne trouvera personne pour lui tendre la main, mais bien quelqu'un qui lui donnera le coup de grâce, parce que ici personne n'a intérêt à ce qu'un « musulman [1] » de plus se traîne chaque jour au travail ; et si quelqu'un, par un miracle de patience et d'astuce, trouve une nouvelle combine pour échapper aux travaux les plus durs, un nouveau

---

1. « Muselmann » : c'est ainsi que les anciens du camp surnommaient, j'ignore pourquoi, les faibles, les inadaptés, ceux qui étaient voués à la sélection. (N.d.A.)

système qui lui rapporte quelques grammes de pain supplémentaires, il gardera jalousement son secret, ce qui lui vaudra la considération et le respect général, et lui rapportera un avantage strictement personnel ; il deviendra plus puissant, on le craindra, et celui qui se fait craindre est du même coup un candidat à la survie.

On a parfois l'impression qu'il émane de l'histoire et de la vie une loi féroce que l'on pourrait énoncer ainsi : « Il sera donné à celui qui possède, il sera pris à celui qui n'a rien. » Au Lager, où l'homme est seul et où la lutte pour la vie se réduit à son mécanisme primordial, la loi inique est ouvertement en vigueur et unanimement reconnue. Avec ceux qui ont su s'adapter, avec les individus forts et rusés, les chefs eux-mêmes entretiennent volontiers des rapports, parfois presque amicaux, dans l'espoir qu'ils pourront peut-être plus tard en tirer parti. Mais les « musulmans », les hommes en voie de désintégration, ceux-là ne valent même pas la peine qu'on leur adresse la parole, puisqu'on sait d'avance qu'ils commenceraient à se plaindre et à parler de ce qu'ils mangeaient quand ils étaient chez eux. Inutile, à plus forte raison, de s'en faire des amis : ils ne connaissent personne d'important au camp, ils ne mangent rien en dehors de leur ration, ne travaillent pas dans des Kommandos intéressants et n'ont aucun moyen secret de s'organiser. Enfin, on sait qu'ils sont là de passage, et que d'ici quelques semaines il ne restera d'eux qu'une poignée de cendres dans un des champs voisins, et un numéro matricule coché dans un registre. Bien qu'ils soient ballottés et confondus sans répit dans l'immense foule de leurs semblables, ils souffrent et avancent dans une solitude intérieure absolue, et c'est encore en solitaires qu'ils meurent ou disparaissent, sans laisser de trace dans la mémoire de personne.

Le résultat de cet impitoyable processus de sélection apparaît d'ailleurs clairement dans les statistiques relatives aux effectifs des Lager. A Auschwitz, abstraction faite des autres prisonniers qui vivaient dans des conditions différentes, sur l'ensemble des anciens détenus juifs — c'est-à-dire des kleine Nummer, des petits numéros inférieurs à cinquante mille — il ne restait en 1944 que quelques centaines de survivants : aucun de ces survivants n'était un Häftling ordinaire, végétant dans un Kommando ordinaire et se contentant de la ration normale. Il ne restait que les médecins, les tailleurs, les cordonniers, les musiciens, les cuisiniers, les homosexuels encore jeunes et attirants, les amis ou compatriotes de certaines autorités du camp, plus quelques individus particulièrement impitoyables, vigoureux et inhumains, solidement installés (après y avoir été nommés par le commandement SS, qui en matière de choix témoignait d'une connaissance diabolique de l'âme humaine) dans les fonctions de Kapo, Blockältester ou autre. Restaient enfin ceux qui, sans occuper de fonctions particulières, avaient toujours réussi grâce à leur astuce et à leur énergie à s'organiser avec succès, se procurant ainsi, outre des avantages matériels et une réputation flatteuse, l'indulgence et l'estime des puissants du camp. Ainsi, celui qui ne sait pas devenir Organisator, Kombinator, Prominent (farouche éloquence des mots !) devient inéluctablement un « musulman ». Dans la vie, il existe une troisième voie, c'est même la plus courante ; au camp de concentration, il n'existe pas de troisième voie.

Le plus simple est de succomber : il suffit d'exécuter tous les ordres qu'on reçoit, de ne manger que sa ration et de respecter la discipline au travail et au camp. L'expérience prouve qu'à ce rythme on résiste rarement plus de trois mois. Tous les « musulmans » qui finissent à la chambre à gaz ont la même histoire, ou plutôt ils n'ont pas d'histoire du tout : ils ont suivi la pente jusqu'au bout, naturellement, comme le ruisseau va à la mer. Dès leur arrivée au camp, par incapacité foncière, par malchance, ou à la suite d'un incident banal, ils ont été terrassés avant même d'avoir pu s'adapter. Ils sont pris de vitesse : lorsque enfin ils commencent à apprendre l'allemand et à distinguer quelque chose dans l'infernal enchevêtrement de lois et d'interdits, leur corps est déjà miné, et plus rien désormais ne saurait les sauver de la sélection ou de la mort par faiblesse. Leur vie est courte mais leur nombre infini. Ce sont eux, les Muselmänner, les damnés, le nerf du camp ; eux, la masse anonyme, continuellement renouvelée et toujours identique, des non-hommes en qui l'étincelle divine s'est éteinte, et qui marchent et peinent en silence, trop vides déjà pour souffrir vraiment. On hésite à les appeler des vivants : on hésite à appeler mort une mort qu'ils ne craignent pas parce qu'ils sont trop épuisés pour la comprendre.

Ils peuplent ma mémoire de leur présence sans visage, et si je pouvais résumer tout le mal de notre temps en une seule image, je choisirais cette vision qui m'est familière : un homme décharné, le front courbé et les épaules voûtées, dont le visage et les yeux ne reflètent nulle trace de pensée.

Si les damnés n'ont pas d'histoire, et s'il n'est qu'une seule et large voie qui mène à la perte, les chemins du salut sont multiples, épineux et imprévus.

La voie principale, comme nous l'avons laissé entendre, est celle de la Prominenz. On appelle Prominenten les fonctionnaires du camp : depuis le Häftling-chef (Lagerältester), les Kapos, cuisiniers, infirmiers et gardes de nuit, jusqu'aux balayeurs de baraques, aux Scheissminister et Bademeister (préposés aux latrines et aux douches). Ceux qui nous intéressent plus spécialement ici sont les prominents juifs, car, alors que les autres étaient automatiquement investis de ces fonctions dès leur entrée au camp en vertu de leur suprématie naturelle, les juifs, eux, devaient intriguer et lutter durement pour les obtenir.

Les prominents juifs constituent un phénomène aussi triste que révélateur. Les souffrances présentes, passées et ataviques s'unissent en eux à la tradition et au culte de la xénophobie pour en faire des monstres asociaux et dénués de toute sensibilité.

Ils sont le produit par excellence de la structure du Lager allemand ; qu'on offre à quelques individus réduits en esclavage une position privilégiée, certains avantages et de bonnes chances de survie, en exigeant d'eux en contrepartie qu'ils trahissent la solidarité naturelle qui les lie à leurs camarades : il se trouvera toujours quelqu'un pour accepter. Cet individu échappera à la loi commune et deviendra intouchable ; il sera donc d'autant plus haïssable et haï que son pouvoir gagnera en importance. Qu'on lui confie le commandement d'une poignée de malheureux, avec droit de vie et de mort sur eux, et aussitôt il se montrera cruel et tyrannique, parce qu'il comprendra que s'il ne l'était pas assez, on n'aurait pas de mal à trouver quelqu'un pour le remplacer. Il arrivera en outre que, ne pouvant assouvir contre les oppresseurs la haine qu'il a accumulée, il s'en libérera de façon irrationnelle sur les opprimés, et ne s'estimera satisfait que lorsqu'il aura fait payer à ses subordonnés l'affront infligé par ses supérieurs.

Nous nous rendons bien compte que tout cela est fort éloigné de la représentation qu'on fait généralement des opprimés, unis sinon dans la résistance, du moins dans le malheur. Nous n'excluons pas que cela puisse arriver, à condition toutefois que l'oppression ne dépasse pas certaines limites, ou peut-être quand l'oppresseur, par inexpérience ou magnanimité, tolère ou favorise un tel comportement. Mais nous constatons que de nos jours, dans tous les pays victimes d'une occupation étrangère, il s'est aussitôt créé à l'intérieur des populations dominées une situation analogue de haine et de rivalité ; phénomène qui, comme bien d'autres faits humains, nous est apparu au Lager dans toute sa cruelle évidence.

Le cas des prominents non juifs appelle moins de commentaires, bien qu'ils aient été de loin les plus nombreux (aucun Häftling aryen qui n'ait bénéficié d'une charge, si modeste fût-elle). Qu'ils aient été stupides et brutaux, il n'y a pas là de quoi s'étonner quand on sait que la plupart d'entre eux étaient des criminels de droit commun, prélevés dans les prisons allemandes pour assumer des fonctions d'encadrement dans les camps de juifs ; et nous voulons croire qu'ils furent triés sur le volet, car nous refusons de penser que les tristes individus que nous avons vus à l'œuvre puissent constituer un échantillon représentatif, non pas des Allemands en général, mais même des détenus allemands en particulier. On reste plus perplexe devant la manière dont les prominents politiques d'Auschwitz, qu'ils fussent allemands, polonais ou russes, ont pu rivaliser de brutalité avec les criminels de Droit commun. Il est vrai qu'en Allemagne, le terme de crime politique était indifféremment appliqué au trafic clandestin, aux rapports illicites avec les femmes juives ou aux vols commis aux dépens de fonctionnaires du parti. Les « vrais » politiques vivaient et mouraient dans d'autres camps, aux noms restés tristement célèbres, dans des conditions que l'on sait avoir été très dures mais à bien des égards différentes des nôtres.

En dehors des fonctionnaires proprement dits, il existe cependant une vaste catégorie de prisonniers qui, n'ayant pas été initialement favorisés par le destin, luttent pour survivre avec leurs seules forces. Il faut remonter le courant; livrer bataille tous les jours et à toute heure contre la fatigue, la faim, le froid, et l'apathie qui en découle; résister aux ennemis, être sans pitié pour les rivaux; aiguiser son intelligence, affermir sa patience, tendre sa volonté. Ou même abandonner toute dignité, étouffer toute lueur de conscience, se jeter dans la mêlée comme une brute contre d'autres brutes, s'abandonner aux forces souterraines insoupçonnées qui soutiennent les générations et les individus dans l'adversité. Les moyens que nous avons su imaginer et mettre en œuvre pour survivre sont aussi nombreux qu'il y a de caractères humains. Tous impliquaient une lutte exténuante de chacun contre tous, et beaucoup une quantité non négligeable d'aberrations et de compromis. Survivre sans avoir renoncé à rien de son propre monde moral, à moins d'interventions puissantes et directes de la chance, n'a été donné qu'à un tout petit nombre d'êtres supérieurs, de l'étoffe des saints et des martyrs.

Ce sont ces différentes manières d'atteindre le salut que nous voudrions maintenant illustrer en racontant l'histoire de Schepschel, d'Alfred L., d'Elias et d'Henri.

Schepschel vit au Lager depuis quatre ans. Dès le pogrom qui l'a chassé de son village de Galicie il a vu mourir autour de lui des dizaines de milliers de ses semblables. Il avait une femme et cinq enfants, et un magasin de sellerie prospère, mais depuis longtemps il a perdu l'habitude de penser à lui-même autrement que comme à un sac qui doit être régulièrement rempli. Schepschel n'est ni très robuste, ni très courageux, ni très méchant ; il n'est pas non plus particulièrement malin et n'a jamais réussi à trouver un arrangement qui lui permette de respirer un peu : il en est réduit aux maigres expédients occasionnels, aux « kombinacje », comme on dit ici.

De temps en temps il vole un balai à la Buna et le revend au Blockältester ; quand il arrive à mettre de côté un peu de capital-pain, il loue les outils du cordonnier du Block, qui est du même village que lui, et travaille quelques heures à son compte ; il sait fabriquer des bretelles avec du fil électrique tressé ; Sigi m'a dit qu'il l'avait vu chanter et danser, pendant la pause de midi, devant la baraque des ouvriers slovaques, qui lui donnent parfois les restes de leur soupe.

On pourrait donc être tenté de penser à Schepschel avec une sorte de sympathie indulgente, comme à un pauvre diable dont l'esprit est désormais obnubilé par la plus humble et élémentaire des volontés de vivre, et qui mène vaillamment son petit combat personnel pour ne pas succomber. Mais Schepschel n'était pas une exception, et quand l'occasion se présenta il n'hésita pas à faire condamner au fouet son complice dans un vol aux cuisines, Moischl, espérant à tort acquérir quelque mérite aux yeux du Blockältester et poser sa candidature au poste de laveur de marmites.

L'histoire de l'ingénieur Alfred L. prouve, entre autres, combien est vain le mythe selon lequel les hommes sont tous égaux entre eux à l'origine.

L. dirigeait dans son pays une importante usine de produits chimiques, et son nom était bien connu — et l'est toujours — dans les milieux industriels européens. C'était un homme robuste d'une cinquantaine d'années ; j'ignore comment il avait été arrêté, mais il était entré au camp comme y entraient tous les autres : nu, seul, anonyme. Quand je fis sa connaissance, il était très affaibli mais son visage gardait encore les traces d'une énergie méthodique et disciplinée. A cette époque, ses privilèges se limitaient au nettoyage quotidien de la marmite des ouvriers polonais. Ce travail, dont il avait obtenu l'exclusivité je ne sais comment, lui rapportait une demi-gamelle de soupe par jour. Cela ne suffisait certainement pas à calmer sa faim, mais personne ne l'avait jamais entendu se plaindre. Au contraire, les quelques mots qu'il proférait laissaient supposer de grandioses ressources secrètes, et une « organisation » solide et fructueuse.

Tout dans sa façon d'être semblait le confirmer. L. s'était créé un style : son visage et ses mains étaient toujours parfaitement propres ; il avait la rarissime abnégation de laver sa chemise tous les quinze jours sans attendre le changement bimestriel (et nous ferons remarquer que laver sa chemise, cela veut dire trouver du savon, trouver le temps, trouver l'espace dans les lavabos bondés, s'astreindre à surveiller attentivement, sans la perdre des yeux un seul instant, la chemise mouillée, et l'endosser, naturellement encore mouillée, au moment de l'extinction des feux); L. possédait une paire de socques pour aller à la douche, et son costume rayé, propre et neuf, semblait taillé sur mesure. Bref, L. avait tout du prominent bien avant de le devenir; et j'ai su plus tard qu'il devait ces apparences prospères à son incroyable ténacité : il avait payé chacun de ces services et de ces achats en prenant sur sa ration de pain, se soumettant ainsi à un régime de privations supplémentaires.

Son plan était de longue haleine, ce qui est d'autant plus remarquable qu'il avait été conçu dans un climat où dominait le sentiment du provisoire; et L. entreprit de le réaliser dans la plus stricte discipline intérieure, sans pitié pour lui-même, ni, à plus forte raison, pour ceux de ses camarades qu'il trouvait en travers de sa route. L. n'ignorait pas que passer pour puissant, c'est être en voie de le devenir, et que partout au monde mais plus particulièrement au camp, où le nivellement est général, des dehors respectables sont la meilleure garantie d'être respecté. Il mit tous ses soins à ne pas être confondu avec le troupeau : il travaillait avec une ardeur affectée, allant jusqu'à exhorter ses camarades paresseux, d'un ton à la fois mielleux et réprobateur ; il évitait de se mêler à la lutte quotidienne pour la meilleure place dans la queue pour la soupe, et tous les jours se portait volontaire pour la première ration, notoirement la plus liquide, de manière à se faire remarquer pour sa discipline par le Blockältester. Enfin, pour achever de maintenir les distances, il manifestait dans ses rapports avec ses camarades le maximum de courtoisie compatible avec son égoïsme, qui était absolu.

Lorsque le Kommando de Chimie fut créé, comme nous y reviendrons plus loin, L. comprit que son heure était venue : son costume impeccable, son visage décharné, certes, mais rasé, auraient suffi, au milieu du ramassis de collègues crasseux et débraillés, à convaincre sur-le-champ Kapo et Arbeitsdienst qu'il était un authentique élu, un prominent en puissance ; et effectivement (à qui possède, il sera donné), il fut immanquablement promu « spécialiste », nommé technicien en chef du Kommando et engagé par la direction de la Buna comme chimiste attaché au laboratoire de la section Styrène. On le chargea par la suite de tester l'une après l'autre les nouvelles recrues du Kommando de Chimie pour juger de leurs aptitudes professionnelles, mission dont il s'acquitta avec une extrême sévérité, notamment à l'égard de ceux en qui il pressentait de possibles rivaux.

J'ignore la suite de son histoire, mais il est fort probable qu'il a échappé à la mort et qu'il mène aujourd'hui la même existence glacée de dominateur résolu et sans joie.

146

Elias Lindzin, 141 565, atterrit un beau jour, inexplicablement, au Kommando de Chimie. C'était un nain, d'un mètre cinquante tout au plus, mais pourvu d'une musculature comme je n'en ai jamais vu. Quand il est nu, on voit chaque muscle travailler sous la peau, avec la puissance, la mobilité et l'autonomie d'un petit animal; agrandi dans les mêmes proportions, il ferait un bon modèle pour un Hercule; mais il ne faut pas regarder la tête.

Sous le cuir chevelu, les sutures crâniennes forment de monstrueuses protubérances. Le crâne est massif, on le dirait de métal ou de pierre; la ligne noire des cheveux rasés descend à un doigt des sourcils. Le nez, le menton, le front, les pommettes sont durs et compacts; le visage tout entier fait penser à une tête de bélier, à un instrument fait pour frapper. Une impression de vigueur bestiale émane de toute sa personne.

C'est un spectacle déconcertant que de voir travailler Elias; les Meister polonais, les Allemands eux-mêmes s'arrêtent parfois pour l'admirer à l'œuvre. Alors que nous arrivons tout juste à porter un sac de ciment, Elias en prend deux à la fois, puis trois, puis quatre, les faisant tenir en équilibre on ne sait comment; et tout en avançant à petits pas rapides sur ses jambes courtes et trapues, de sous son fardeau il fait des grimaces, il rit, jure, hurle et chante sans répit comme s'il avait des poumons de bronze. Malgré ses semelles de bois, Elias grimpe comme un singe sur les échafaudages et court d'un pied léger sur les charpentes

147

suspendues dans le vide ; il porte six briques à la fois en équilibre sur la tête ; il sait se faire une cuillère avec une plaque de tôle et un couteau avec un morceau d'acier ; il déniche n'importe où du papier, du bois et du charbon secs et sait allumer un feu en quelques instants même sous la pluie. Il peut être tailleur, menuisier, cordonnier, coiffeur ; il crache à des distances incroyables ; il chante, d'une voix de basse pas désagréable, des chansons polonaises et yiddish absolument inconnues ; il est capable d'avaler six, huit, dix litres de soupe sans vomir et sans avoir la diarrhée, et de reprendre le travail aussitôt après. Il sait se faire sortir entre les épaules une grosse bosse, et déambule dans la baraque, bancal et contrefait, en poussant des cris et en déclamant d'incompréhensibles discours, pour la plus grande joie des autorités du camp. Je l'ai vu lutter avec un Polonais beaucoup plus grand que lui et l'envoyer à terre d'un seul coup de tête dans l'estomac, avec la violence et la précision d'une catapulte. Je ne l'ai jamais vu se reposer, je ne l'ai jamais vu silencieux ou immobile, je ne sache pas qu'il ait jamais été blessé ou malade.

De sa vie d'homme libre, personne ne sait rien. Il faut d'ailleurs un gros effort d'imagination et d'induction pour se représenter Elias dans la peau d'un homme libre. Il ne parle que le polonais et le yiddish abâtardi de Varsovie, et de toute façon il est impossible d'obtenir de lui des propos cohérents. Il pourrait avoir aussi bien vingt ans que quarante ; il aime à dire, quant à lui, qu'il est âgé de trente-trois ans et père de dix-sept enfants, ce qui n'est pas impossible. Il parle continuellement, et des sujets les plus disparates, toujours d'une voix tonnante, sur un ton grandiloquent, et avec une mimique outrée de déséquilibré, comme s'il s'adressait en permanence à un nombreux auditoire : et bien entendu le public ne lui manque jamais. Ceux qui le comprennent se délectent de ses grands discours en se tordant de rire et lui donnent de grandes claques dans le dos pour l'encourager à poursuivre ; et lui, farouche et renfrogné, continue son va-et-vient de bête fauve à l'intérieur du cercle de ses auditeurs, qu'il ne se fait pas faute d'apostropher au passage : il en agrippe un au collet de sa patte crochue, l'attire à lui à la force du poignet, lui vomit au visage une incompréhensible invective, fixe un instant sa victime interdite puis la rejette en arrière comme un fétu de paille, tandis que, au milieu des rires et des applaudissements, les bras tendus vers le ciel comme un petit monstre vaticinant, le voilà déjà repris par son éloquence furibonde et insensée.

Sa réputation de travailleur émérite se répandit très vite, et, conformément à la logique absurde du Lager, dès ce moment il cessa pratiquement de travailler. Les Meister le contactaient directement, et seulement pour les travaux requérant une adresse ou une force particulière. Outre ces prestations, il supervisait avec arrogance et brutalité notre monotone labeur quotidien, s'éclipsant pour des visites et des aventures mystérieuses dans quelque recoin inconnu du chantier, dont il revenait les poches gonflées, et souvent l'estomac manifestement plein.

Elias est voleur par nature et en toute innocence : il témoigne en cela de la ruse instinctive des animaux sauvages. Il ne se laisse jamais prendre sur le fait car il ne vole que lorsque l'occasion est sans risque ; mais lorsqu'une telle occasion se présente, Elias vole, fatalement, infailliblement, comme une pierre tombe quand on la lâche. Et quand bien même on réussirait à le surprendre — ce qui n'est guère facile —, il est clair qu'il ne servirait à rien de le punir pour ces vols : ils représentent pour lui un acte vital aussi naturel que manger ou dormir.

On pourra maintenant se demander qui est l'homme Elias. Si c'est un fou, un être incompréhensible et extrahumain, échoué au Lager par hasard. Si en lui s'exprime un atavisme devenu étranger à notre monde moderne, mais mieux adapté aux conditions de vie élémentaires du camp. Ou si ce n'est pas plutôt un pur produit du camp, ce que nous sommes destinés à devenir si nous ne mourons pas au camp, et si le camp lui-même ne finit pas d'ici là.

Il y a du vrai dans ces trois hypothèses. Elias a survécu à la destruction du dehors parce qu'il est physiquement indestructible ; il a résisté à l'anéantissement du dedans parce qu'il est fou. C'est donc avant tout un rescapé : le spécimen humain le plus approprié au mode de vie du camp.

Si Elias recouvre la liberté, il sera relégué en marge de la communauté humaine, dans une prison ou dans un asile d'aliénés. Mais ici, au Lager, il n'y a pas plus de criminels qu'il n'y a de fous : pas de criminels puisqu'il n'y a pas de loi morale à enfreindre ; pas de fous puisque toutes nos actions sont déterminées et que chacune d'elles, en son temps et lieu, est sensiblement la seule possible.

Au Lager, Elias prospère et triomphe. C'est un bon travailleur et un bon organisateur, qualités qui le mettent à l'abri des sélections et lui assurent le respect de ses chefs et de ses camarades. Pour ceux qui n'ont pas en eux de solides ressources morales, pour ceux qui ne savent pas tirer de la conscience de soi la force de s'accrocher à la vie, pour ceux-là, l'unique voie de salut est celle qui conduit à Elias : à la démence, à la brutalité sournoise. Toutes les autres issues sont barrées.

Tout cela pourrait nous conduire à dégager des conclusions et même des règles valables pour notre vie de tous les jours. N'existe-t-il pas autour de nous des Elias plus ou moins réalisés ? N'en avons-nous pas vu de nos yeux vu, de ces individus qui vivent sans but aucun, réfractaires à toute forme de conscience et de contrôle de soi ? et qui vivent non certes *malgré* ces déficiences, mais précisément, comme Elias, grâce à elles.

La question est grave, et nous n'entendons pas nous y engager ici, parce que notre récit se limite volontairement à la vie du Lager, et que sur l'homme hors du Lager on a déjà beaucoup écrit. Cependant nous voudrions ajouter un dernier mot : Elias, autant que nous puissions en juger du dehors, et si tant est que ces mots aient un sens, Elias était vraisemblablement un homme heureux.

Henri est au contraire éminemment civilisé et conscient de soi, et possède une théorie complète et articulée sur les façons de survivre au Lager. Il n'a que vingt-deux ans; il est très intelligent, parle le français, l'allemand, l'anglais et le russe, et a une excellente culture scientifique et classique.

Son frère est mort à la Buna l'hiver dernier, et depuis lors Henri a tronqué tout lien d'affection; il s'est renfermé en lui-même comme dans une cara-pace, et il lutte pour vivre sans se laisser distraire de son but, avec toutes les ressources qu'il peut tirer de son cerveau rapide et de son éducation raf-finée. Selon sa théorie, pour échapper à la destruc-tion tout en restant digne du nom d'homme, il n'y a que trois méthodes possibles : l'organisation, la pitié et le vol.

Lui-même les pratique toutes les trois. Nul n'a comme lui l'art consommé de circonvenir (de « cultiver », comme il dit) les prisonniers de guerre anglais. Entre ses mains ils deviennent de véritables poules aux œufs d'or : il suffit de penser qu'au Lager une seule cigarette anglaise rapporte de quoi se sustenter pour toute une journée. Henri a été vu une fois en train de manger un authen-tique œuf dur.

Henri détient le monopole du trafic des mar-chandises de provenance anglaise : et jusque-là il ne s'agit que d'organisation; mais son fer de lance pour la pénétration de la ligne de défense, anglaise

152

ou autre, c'est la pitié. Henri a le corps et les traits délicats et subtilement pervers du *Saint Sébastien* de Sodoma : encore imberbe, les yeux noirs et profonds, il se meut avec une élégance naturelle et languide — bien qu'il sache à l'occasion bondir et courir comme un chat, et que la capacité de son estomac soit à peine inférieure à celle d'Elias. Henri a pleinement conscience de ses dons naturels, et les met à profit avec la froide compétence de qui manœuvre un instrument de précision : les résultats sont étonnants. Il s'agit tout simplement d'une découverte : Henri a découvert que la pitié, étant un sentiment primaire et irraisonné, ne pouvait mieux prospérer, à condition d'être habilement instillée, que dans les âmes frustes des brutes qui nous commandent, de ceux-là mêmes qui n'hésitent pas à nous frapper sauvagement sans raison, et à nous piétiner une fois à terre ; il n'a pas manqué de remarquer l'importance pratique d'une telle découverte, et c'est sur elle qu'il a fondé son industrie personnelle.

De même que l'ichneumon paralyse les grosses chenilles velues en piquant leur unique ganglion vulnérable, de même il suffit d'un coup d'œil à Henri pour jauger son homme, « son type » ; il lui parle brièvement, en employant le langage approprié, et « le type » est conquis : il écoute avec une sympathie croissante, s'attendrit sur le sort du malheureux jeune homme, et est déjà en passe de devenir rentable.

Il n'est point de cœur, si endurci soit-il, qu'Henri ne parvienne à émouvoir s'il s'y met sérieusement. Au Lager, et même à la Buna, on ne compte plus ses protecteurs : soldats anglais, ouvriers civils français, ukrainiens, polonais; « politiques » allemands; au moins quatre Block-älteste, un cuisinier, et même un SS. Mais son champ d'action favori demeure le K.B. Au K.B., Henri a entrée libre : ses amis — plus que ses protecteurs —, les docteurs Citron et Weiss, l'hospitalisent quand il veut et avec le diagnostic qu'il veut. Cela se produit notamment à l'approche des sélections et dans les périodes où le travail est particulièrement pénible : alors Henri « prend ses quartiers d'hiver », comme il dit.

Nanti d'amis si haut placés, Henri est rarement obligé de recourir à la troisième solution, le vol; et l'on comprend d'autre part qu'il ne se confie pas volontiers à ce sujet.

Il est agréable de parler avec Henri pendant les moments de repos. Et instructif, aussi : il n'est rien au camp qu'il ne connaisse, ou sur quoi il n'ait exercé ses raisonnements serrés et cohérents. Il parle de ses conquêtes avec une modestie de bon ton, comme de proies faciles, mais s'étend volontiers sur les calculs qui l'ont amené à aborder Hans en lui demandant des nouvelles de son fils envoyé au front, et Otto en lui montrant les cicatrices qu'il a sur les tibias.

Causer avec Henri est instructif et agréable; il arrive même parfois qu'on le sente proche et chaleureux; une communication semble possible, peut-être même un sentiment d'affection; on croit entrevoir en lui le fond humain, la conscience blessée d'une personnalité peu commune. Mais l'instant d'après, son sourire triste se fige en un rictus de commande ; Henri s'excuse poliment (« ... *J'ai quelque chose à faire* », « ... *j'ai quelqu'un à voir* »), et le voilà de nouveau tout à sa chasse et à sa lutte de chaque jour : dur, lointain, enfermé dans sa cuirasse, ennemi de tous et de chacun, aussi fuyant et incompréhensible que le Serpent de la Genèse.

Toutes mes conversations avec Henri, même les plus cordiales, m'ont toujours laissé à la fin un léger goût de défaite ; le vague soupçon d'avoir été moi aussi, un peu à mon insu, non pas un homme face à un autre homme, mais un instrument entre ses mains.

Je sais qu'aujourd'hui Henri est vivant. Je donnerais beaucoup pour connaître sa vie d'homme libre, mais je ne désire pas le revoir.

10

EXAMEN DE CHIMIE

Le Kommando 98, dit Kommando de Chimie, était censé être une section de spécialistes.

Le jour où on annonça officiellement sa création, un groupe clairsemé de quinze Häftlinge se rassembla autour du nouveau Kapo, place de l'Appel, dans l'aube grise.

Ce fut pour nous une première déception : le Kapo était encore un « triangle vert », un criminel de profession, l'Arbeitsdienst n'ayant pas jugé bon de mettre un Kapo-chimiste à la tête du Kommando de Chimie. Ce n'était pas la peine de se fatiguer à lui poser des questions, il n'aurait pas répondu, ou bien il aurait répondu à grand renfort de hurlements et de coups de pied. D'un autre côté, sa faible corpulence et sa taille inférieure à la moyenne nous rassuraient.

Il nous gratifia d'un bref discours, dans un grossier allemand de caserne, et notre déception fut confirmée. Alors comme ça c'était nous, les chimistes : bon, eh ben lui, c'était Alex, et si on croyait que ça allait être le Pérou, on se gourait.

Primo, tant que la production n'aurait pas commencé, le Kommando 98 serait un simple Kommando-transports préposé au magasin de Chlorure de Magnésium. Secundo, si on s'imaginait, parce qu'on était des Intelligenten, des intellectuels, qu'on allait se payer sa tête, à lui, Alex, un Reichsdeutscher, eh bien, Herrgottsacrament, il nous ferait voir, lui, il nous... (et, le poing fermé et l'index tendu, il fendait l'air obliquement, du geste de menace des Allemands) ; tertio, il ne fallait pas compter tromper son monde si on s'était présenté comme chimiste sans l'être ; il y avait un examen, oui messieurs, dans quelques jours ; un examen de chimie, devant le triumvirat de la Section Polymérisation : le Doktor Hagen, le Doktor Probst, le Doktor Ingenieur Pannwitz.

Bon, on avait perdu assez de temps comme ça, Meine Herren, les Kommandos 96 et 97 étaient déjà en route ; alors, en avant marche, et pour commencer, ceux qui ne marcheraient pas au pas et en rang auraient affaire à lui.

C'était un Kapo comme tous les autres Kapos.

Quand on sort du Lager et qu'on passe devant la fanfare et le poste des SS, on marche en rang par cinq, le calot à la main, les bras au corps, le cou tendu, et on n'a pas le droit de parler. Ensuite, on se met trois par trois, et alors on peut tenter d'échanger quelques mots au milieu du claquement des dix mille paires de sabots en bois.

Qui sont mes compagnons de Kommando ? Celui qui marche à côté de moi, c'est Alberto, étudiant de troisième année ; nous avons réussi encore une fois à ne pas être séparés. Le deuxième à ma gauche, je ne l'ai jamais vu ; il semble très jeune, il a un teint cireux et il porte le numéro des Hollandais. Devant moi, trois dos également inconnus. Derrière, mieux vaut ne pas se retourner, je pourrais perdre la cadence ou trébucher ; je m'y risque tout de même, juste le temps d'entrevoir le visage d'Iss Clausner.

Tant qu'on marche, on n'a pas le temps de penser, il faut veiller à ne pas marcher sur les sabots de celui qui claudique devant vous, et à éviter que celui qui claudique derrière en fasse autant sur les vôtres ; de temps en temps il faut enjamber un câble ou contourner une flaque boueuse. Je sais où nous sommes, je suis déjà passé par là avec mon ancien Kommando, c'est la H-Strasse, la rue des entrepôts. Je le dis à Alberto : on va vraiment au Chlorure de Magnésium, ça au moins c'est sûr.

Nous sommes arrivés, nous descendons dans un vaste sous-sol humide et plein de courants d'air ; il s'agit du siège du Kommando, qu'ici on appelle la Bude. Le Kapo nous divise en trois équipes ; quatre pour décharger les sacs du wagon, sept pour les transporter en bas, quatre pour les empiler dans l'entrepôt. Ces quatre-là, c'est nous, Alberto, Iss, le Hollandais et moi.

Finalement on peut parler, et à chacun de nous le discours d'Alex fait l'effet du rêve d'un fou.

Avec ces visages vides, ces crânes rasés, ces habits de honte, passer un examen de chimie ! Et ce sera en allemand, bien sûr : et nous devrons comparaître devant quelque blond Doktor aryen en espérant ne pas avoir à nous moucher, parce que lui ne sait peut-être pas que nous n'avons pas de mouchoir, et nous ne pourrons certainement pas le lui expliquer. Notre vieille amie la faim nous tiendra compagnie et nous aurons du mal à nous tenir droits sur nos jambes, et le Doktor sentira sûrement l'odeur que nous dégageons, et à laquelle nous sommes maintenant habitués, mais qui nous poursuivait les premiers jours : l'odeur des navets et des choux crus, cuits et digérés.

C'est bien ça, confirme Clausner. Les Allemands ont-ils donc tellement besoin de chimistes? Ou est-ce un nouveau truc, un nouveau système *« pour faire chier les juifs »*? Est-ce qu'ils se rendent compte de l'épreuve grotesque et absurde qui nous est imposée, à nous qui ne sommes déjà plus des vivants, à nous dont l'attente morne du néant a fait des demi-fous?

Clausner me montre le fond de sa gamelle. Là où les autres ont gravé leur numéro, là où Alberto et moi avons gravé notre nom, Clausner a écrit : *« Ne pas chercher à comprendre. »*

Bien que nous n'y pensions pas plus de quelques minutes par jour, et encore, d'une manière étrangement détachée, extérieure, nous savons bien que nous finirons à la sélection. Je sais bien, moi, que je ne suis pas de l'étoffe de ceux qui résistent, je suis trop humain, je pense encore trop, je m'use au travail. Et maintenant je sais que je pourrai me sauver si je deviens Spécialiste, et que je deviendrai Spécialiste si je suis reçu à un examen de chimie.

Aujourd'hui encore, à l'heure où j'écris, assis à ma table, j'hésite à croire que ces événements ont réellement eu lieu.

Trois jours passèrent, trois de ces immémoriales journées ordinaires, si longues à passer, si brèves une fois écoulées, et déjà personne ne se donnait plus la peine de croire à l'examen de chimie.

Le Kommando ne comptait plus que douze hommes : trois avaient disparu, comme il arrivait couramment au Lager : peut-être transférés dans la baraque d'à côté, peut-être rayés de ce bas monde. Des douze, cinq n'étaient pas chimistes, et tous les cinq avaient aussitôt demandé à Alex de réintégrer leurs anciens Kommandos. Ils n'évitèrent pas les coups mais, contre toute attente et en vertu d'on ne sait quelle autorité, il fut décidé qu'ils resteraient en qualité d'auxiliaires du Kommando de Chimie.

Alex vint nous chercher à la cave du Chlorure et nous fit sortir tous les sept pour aller passer l'examen. Et nous voilà, comme sept poussins malhabiles derrière la mère poule, montant derrière Alex le petit escalier du Polymerisations-Büro. Nous sommes sur le palier ; sur la porte, une plaque où on peut lire les trois noms illustres. Alex frappe respectueusement, ôte son calot, entre ; on entend une voix placide ; Alex ressort : « Ruhe, jetzt. Warten. » Attendre en silence.

Voilà qui nous satisfait. Quand on attend, le

temps avance tout seul sans qu'on soit obligé d'intervenir pour le pousser en avant, tandis que quand on travaille, chaque minute nous parcourt douloureusement et demande à être laborieusement expulsée. Nous sommes toujours contents d'attendre, nous sommes capables d'attendre pendant des heures, avec l'inertie totale et obtuse des araignées dans leurs vieilles toiles.

Alex est nerveux, il se promène de long en large, et chaque fois qu'il passe, nous nous écartons. Nous aussi, chacun à sa façon, nous sommes inquiets ; il n'y a que Mendi qui ne le soit pas. Mendi est rabbin ; il vient de la Russie subcarpatique, de cette mosaïque de peuples où chacun parle au moins trois langues ; et Mendi en parle sept. Il sait énormément de choses ; il est rabbin, mais aussi sioniste militant, spécialiste de glottologie, ancien partisan et docteur en droit ; il n'est pas chimiste, mais il veut quand même tenter sa chance ; c'est un petit homme tenace, courageux et fin.

Bálla a un crayon : tout le monde se précipite sur lui. Nous ne sommes pas sûrs de savoir encore écrire, nous voudrions faire un essai.

Kohlenwasserstoffe, Massenwirkungsgesetz. Les noms allemands des corps composés et des lois chimiques me reviennent en mémoire : j'éprouve de la gratitude pour mon cerveau, dont je ne me suis plus beaucoup occupé et qui fonctionne encore si bien.

Alex repasse. Mais moi, je suis chimiste : qu'est-ce que j'ai à voir avec cet Alex ? Il se

161

plante devant moi, rajuste rudement le col de ma veste, m'ôte mon calot et me le renfonce sur la tête, puis, reculant d'un pas, juge du résultat d'un air dégoûté et tourne le dos en grommelant : « Was für ein Muselmann Zugang ! » Quelle lamentable recrue !

La porte vient de s'ouvrir. Les trois Doktoren ont décidé de faire passer ce matin six candidats. Le septième reviendra. Le septième, c'est moi, parce que j'ai le numéro matricule le plus élevé ; et il me faut repartir au travail. Alex viendra me chercher dans le courant de l'après-midi ; pas de chance ! Je ne pourrai même pas communiquer avec les autres pour savoir « ce qu'ils demandent ».

Cette fois, ça y est. Dans l'escalier, Alex me lance des regards torves, il se sent en quelque sorte responsable de mon aspect pitoyable. Il m'en veut parce que je suis italien, parce que je suis juif, et parce que, de nous tous, je suis celui qui s'écarte le plus de son idéal caporalesque de virilité. Par analogie, sans y rien comprendre, et fier de son incompétence, il affiche un profond scepticisme quant à mes chances de réussite à l'examen.

Nous entrons. Le Doktor Pannwitz est seul ; Alex, le calot à la main, lui parle à mi-voix : « ... un Italien, au Lager depuis trois mois seulement, déjà à moitié kaputt... Er sagt er ist Chemiker... » mais lui, Alex, semble faire ses réserves sur ce point.

Le voilà rapidement congédié et invité à attendre à l'écart, et moi je me sens comme

Œdipe devant le Sphinx. J'ai les idées claires, et je me rends compte même en cet instant que l'enjeu est important; et pourtant j'ai une envie folle de disparaître, de me dérober à l'épreuve.

Pannwitz est grand, maigre, blond; il a les yeux, les cheveux et le nez conformes à ceux que tout Allemand se doit d'avoir, et il siège, terrible, derrière un bureau compliqué. Et moi, le Häftling 174 517, je suis debout dans son bureau, qui est un vrai bureau, net, propre, bien en ordre, et il me semble que je laisserais sur tout ce que je pourrais toucher une trace malpropre.

Quand il eut fini d'écrire, il leva les yeux sur moi et me regarda.

Depuis ce jour-là, j'ai pensé bien des fois et de bien des façons au Doktor Pannwitz. Je me suis demandé ce qui pouvait bien se passer à l'intérieur de cet homme; comment il occupait son temps en dehors de la Polymérisation et de la conscience indo-germanique; et surtout, quand j'ai été de nouveau un homme libre, j'ai désiré le rencontrer à nouveau, non pas pour me venger, mais pour satisfaire ma curiosité de l'âme humaine.

Car son regard ne fut pas celui d'un homme à un autre homme; et si je pouvais expliquer à fond la nature de ce regard, échangé comme à travers la vitre d'un aquarium entre deux êtres appartenant à deux mondes différents, j'aurais expliqué du même coup l'essence de la grande folie du Troisième Reich.

Tout ce que nous pensions et disions des Allemands prit forme en cet instant. Le cerveau qui commandait à ces yeux bleus et à ces mains soignées disait clairement : « Ce quelque chose que j'ai là devant moi appartient à une espèce qu'il importe sans nul doute de supprimer. Mais dans le cas présent, il convient auparavant de s'assurer qu'il ne renferme pas quelque élément utilisable. » Et, dans ma tête, les pensées roulent comme des graines dans une courge vide : « Les yeux bleus et les cheveux blonds sont essentiellement malfaisants. Aucune communication possible. Je suis spécialiste en chimie minérale. Je suis spécialiste en synthèses organiques. Je suis spécialiste... »

Et l'interrogatoire commença, tandis qu'Alex, troisième spécimen zoologique présent, bâillait et rongeait son frein dans son coin.

— Wo sind Sie geboren ?

Il me vouvoie : le Doktor Ingenieur Pannwitz n'a pas le sens de l'humour. Qu'il soit maudit, il ne fait pas le moindre effort pour parler un allemand un tant soit peu compréhensible.

— J'ai soutenu ma thèse à Turin, en 1941, avec mention très bien.

Au fur et à mesure que je parle, j'ai le sentiment très net qu'il ne me croit pas, et à vrai dire je n'y crois pas moi-même : il suffit de regarder mes mains sales et couvertes de plaies, mon pantalon de forçat maculé de boue. Et pourtant c'est bien moi, le diplômé de Turin, en ce moment plus que jamais il m'est impossible de douter que je suis bien la même personne, car le réservoir de souvenirs de chimie organique, même après une longue période d'inertie, répond à la demande avec une étonnante docilité; et puis cette ivresse lucide, cette chaleur qui court dans mes veines, comme je la reconnais! C'est la fièvre des examens, *ma* fièvre, celle de *mes* examens, cette mobilisation spontanée de toutes les facultés logiques et de toutes les notions qui faisait tant envie à mes camarades.

L'examen se passe bien. Au fur et à mesure que je m'en rends compte, j'ai l'impression que mon corps grandit. Maintenant, le Doktor Pannwitz s'informe du sujet de ma thèse. Je dois faire un effort violent pour rappeler des souvenirs aussi immensément lointains : c'est comme si je cherchais à évoquer les événements d'une vie antérieure.

Quelque chose me protège. L'Aryen aux cheveux blonds et à la confortable existence s'intéresse tout particulièrement à mes pauvres vieilles *Mesures de constantes diélectriques* : il me demande si je sais l'anglais, me montre le volume de Gattermann; et cela aussi me semble absurde et invraisemblable, qu'il y ait ici, de ce côté des barbelés, un Gattermann en tous points identique à celui sur lequel j'étudiais, en quatrième année, quand j'étais en Italie, chez moi.

L'épreuve est terminée : l'excitation qui m'a soutenu pendant toute la durée de l'examen tombe d'un seul coup, et je contemple, hébété et amorphe, cette pâle main de blond qui écrit mon destin en signes incompréhensibles, sur la page blanche.

— Los, ab !

Alex rentre en scène, me voilà de nouveau sous sa juridiction. Il salue Pannwitz en claquant les talons et obtient en retour un imperceptible battement de paupières. Je tâtonne un instant à la recherche d'une formule de congé appropriée, mais en vain : en allemand, je sais dire manger, travailler, voler, mourir ; je sais même dire acide sulfurique, pression atmosphérique et générateur d'ondes courtes, mais je ne sais vraiment pas comment saluer un personnage important.

Nous revoici dans l'escalier. Alex descend les marches quatre à quatre : il porte des chaussures de cuir parce qu'il n'est pas juif, il a le pied léger comme un démon de Malebolge. D'en bas, il se retourne et me regarde d'un œil torve tandis que je descends bruyamment, empêtré dans mes énormes sabots dépareillés, agrippé à la rampe comme un vieux.

Apparemment, ça a bien marché, mais ce serait de la folie de penser que le tour est joué. Je connais déjà suffisamment le Lager pour savoir qu'il ne faut jamais faire de prévisions, surtout si elles sont optimistes. Ce qui est sûr, par contre, c'est que j'ai passé une journée sans travailler, donc que j'aurai un peu moins faim cette nuit, et ça c'est un avantage concret, un point d'acquis.

Pour rentrer à la Buda, il faut traverser un terrain vague encombré de poutres et de treillis métalliques empilés les uns sur les autres. Le câble d'acier d'un treuil nous barre le passage ; Alex l'empoigne pour l'enjamber, mais, Donnerwetter, le voilà qui jure en regardant sa main pleine de cambouis. Entre-temps je suis arrivé à sa hauteur : sans haine et sans sarcasme, Alex s'essuie la paume et le dos de la main sur mon épaule pour se nettoyer ; et il serait tout surpris, Alex, la brute innocente, si quelqu'un venait lui dire que c'est sur un tel acte qu'aujourd'hui je le juge, lui et Pannwitz, et tous ses nombreux semblables, grands et petits, à Auschwitz et partout ailleurs.

11

LE CHANT D'ULYSSE

Nous étions six à récurer et nettoyer l'intérieur d'une citerne souterraine. La lumière du jour ne nous parvenait qu'à travers l'étroit portillon d'accès. C'était un travail de luxe car personne ne nous surveillait, mais il faisait froid et humide. La poussière de rouille nous brûlait les yeux et nous laissait dans la bouche et la gorge comme un goût de sang.

L'échelle de corde qui pendait du portillon oscilla : quelqu'un venait. Deutsch éteignit sa cigarette, Goldner réveilla Sivadjan ; tout le monde se remit à racler énergiquement la sonore paroi de tôle.

Ce n'était pas le Vorarbeiter, ce n'était que Jean, le Pikolo de notre Kommando. Jean était un étudiant alsacien. Bien qu'il eût déjà vingt-quatre ans, c'était le plus jeune Häftling du Kommando de Chimie. Et c'est pour cette raison qu'on lui avait assigné le poste de Pikolo, c'est-à-dire de livreur-commis aux écritures, préposé à l'entretien de la baraque, à la distribution des outils, au lavage des gamelles et à la comptabilité des heures de travail du Kommando.

Jean parlait couramment le français et l'allemand; dès qu'on reconnut ses chaussures en haut de l'échelle, tout le monde s'arrêta de racler :

— Also, Pikolo, was gibt es Neues ?

— *Qu'est-ce qu'il y a comme soupe aujourd'hui ?*

... De quelle humeur était le Kapo ? Et l'histoire des vingt-cinq coups de cravache à Stern ? Quel temps faisait-il dehors ? Est-ce qu'il avait lu le journal ? Qu'est-ce que ça sentait à la cuisine des civils ? Quelle heure était-il ?

Jean était très aimé au Kommando. Il faut savoir que le poste de Pikolo représente un échelon déjà très élevé dans la hiérarchie des prominences : le Pikolo (qui en général n'a pas plus de dix-sept ans) n'est pas astreint à un travail manuel, il a la haute main sur les fonds de marmite et peut passer ses journées à côté du poêle : « c'est pourquoi » il a droit à une demi-ration supplémentaire, et il est bien placé pour devenir l'ami et le confident du Kapo, dont il reçoit officiellement les vêtements et les souliers usagés. Or, Jean était un Pikolo exceptionnel. Il joignait à la ruse et à la force physique des manières affables et amicales : tout en menant avec courage et ténacité son combat personnel et secret contre le camp et contre la mort, il ne manquait pas d'entretenir des rapports humains avec ses camarades moins privilégiés; et de plus il avait été assez habile et persévérant pour gagner la confiance d'Alex, le Kapo.

Alex avait tenu toutes ses promesses. Il avait amplement confirmé sa nature de brute violente et sournoise, sous une solide carapace d'ignorance et de bêtise sauf pour ce qui était de son flair et de sa technique de garde-chiourme consommé. Il ne perdait pas une occasion de vanter la pureté de son sang et la supériorité du triangle vert, et affichait un profond mépris pour ses chimistes loqueteux et affamés : « Ihr Doktoren, Ihr Intelligenten ! », ricanait-il chaque jour en nous voyant nous bousculer, gamelle tendue, à la distribution de la soupe. Avec les Meister civils, il se montrait extrêmement empressé et obséquieux, et avec les SS il entretenait des rapports de cordiale amitié.

Il était visiblement intimidé par le registre du Kommando et le petit rapport quotidien des travaux et prestations, et c'est par ce biais que Pikolo s'était rendu indispensable. Les travaux d'approche avaient été longs, prudents et minutieux, et l'ensemble du Kommando en avait suivi les progrès pendant tout un mois en retenant son souffle ; mais finalement la défense du porc-épic avait cédé, et Pikolo s'était vu confirmer dans sa charge à la satisfaction de tous les intéressés.

Bien que Jean n'abusât pas de sa position, nous avions déjà pu constater qu'un mot de lui, dit au bon moment et sur le ton qu'il fallait, pouvait faire beaucoup ; plusieurs fois déjà il avait pu ainsi sauver certains d'entre nous de la cravache ou de la dénonciation aux SS. Depuis une semaine, nous étions amis : nous nous étions découverts par hasard, à l'occasion d'une alerte aérienne, mais ensuite, pris par le rythme impitoyable du Lager, nous n'avions pu que nous dire bonjour en nous croisant aux latrines ou aux lavabos.

Accroché d'une main à l'échelle de corde ballottante, il me désigna du doigt :

— *Aujourd'hui c'est Primo qui viendra avec moi chercher la soupe.*

La veille encore, c'était Stern l'accompagnateur, un Transylvanien affligé d'un strabisme ; mais il était tombé en disgrâce à la suite d'une sombre histoire de balais volés à l'entrepôt, et Pikolo avait réussi à me faire adopter comme aide à l'« Essenholen », la corvée quotidienne de soupe.

Il se glissa dehors, et moi je le suivis, clignant des yeux dans la splendeur du jour. Dehors l'air était tiède, et sous le soleil il montait de la terre une odeur légère de peinture et de goudron qui me rappelait une plage d'été de mon enfance. Pikolo me donna un des deux bâtons et nous nous mîmes en route sous le ciel limpide de juin.

Je voulais le remercier, mais il m'interrompit : ce n'était pas la peine. On voyait les Carpates couvertes de neige. Je respirai l'air frais, je me sentais étonnamment léger.

— *Tu es fou de marcher si vite. On a le temps, tu sais.*

Pour aller chercher la soupe, il fallait faire un kilomètre, puis retourner avec la marmite de cinquante kilos enfilée sur les bâtons. C'était un travail assez fatigant, mais qui incluait un parcours agréable à l'aller, puisqu'on n'était pas chargé, et offrait aussi l'occasion non négligeable d'approcher les cuisines.

Nous ralentîmes l'allure. Pikolo n'était pas sot : il avait judicieusement choisi le chemin de manière à pouvoir faire un long détour, un parcours d'au moins une heure, sans pour autant éveiller les soupçons. Nous parlions de chez nous ; de Strasbourg et de Turin, de nos lectures, de nos études ; de nos mères : comme toutes les mères se ressemblent ! Sa mère aussi lui reprochait de ne jamais savoir combien d'argent il avait en poche ; sa mère aussi aurait été bien étonnée d'apprendre qu'il s'en était sorti, que jour après jour il s'en sortait.

Un SS passa à bicyclette : Rudi, le Blockführer. Halte, garde-à-vous, se découvrir.

— *Sale brute, celui-là.* Ein ganz gemeiner Hund.

Pour lui, parler en français ou en allemand, c'est la même chose ? Oui, c'est la même chose, il pense aussi bien dans les deux langues. Il a passé un mois en Ligurie, il aime l'Italie, il voudrait apprendre l'italien. Moi, je serais content de lui donner quelques leçons : et si on commençait ? Mais oui, commençons. Tout de suite, même ; une chose en vaut une autre, l'important est de ne pas perdre de temps, de ne pas gaspiller cette heure qui s'offre à nous.

Nous croisons Limentani, le Romain, qui avance en traînant les pieds, une gamelle cachée sous sa veste. Pikolo écoute attentivement, saisit quelques mots de notre dialogue et répète en riant :

— Zup-pa, cam-po, ac-qua.

Nous croisons Frenkel, le mouchard. Mieux vaut presser le pas, on ne sait jamais, en voilà un qui fait le mal pour le mal.

... Le chant d'Ulysse. A savoir comment et pourquoi cela m'est venu à l'esprit : mais nous n'avons pas le temps de choisir, cette heure n'est déjà plus une heure. Si Jean est intelligent, il comprendra. Il comprendra : aujourd'hui, j'en suis sûr.

... Qui est Dante ? Qu'est-ce que *la Divine Comédie* ? Quelle étrange sensation de nouveauté on éprouve à tenter d'expliquer brièvement ce qu'est *la Divine Comédie,* la structure de l'enfer, le contrappasso[1]. Virgile représente la Raison, Béatrice la Théologie.

Jean est tout ouïe, et je commence lentement, avec application[2] :

1. Contrappasso : dans la version française d'Henri Longnon, le terme est traduit par « loi du talion » ; il désigne exactement la norme selon laquelle, dans l'*Enfer,* la qualité de la peine infligée est établie par analogie avec la forme de la faute commise. Au chant XXVIII, par exemple, le poète Bertran de Bornh, qui avait semé la discorde entre un père et son fils, déambule tenant à la main sa propre tête séparée du corps.

2. L'auteur-protagoniste cite de mémoire et s'éloigne donc parfois légèrement du texte original.

« Lo maggior corno della fiamma antica
Cominciò a crollarsi mormorando,
Pur come quella cui vento affatica.
Indi, la cima in qua e in là menando
Come fosse la lingua che parlasse
Mise fuori la voce, e disse : Quando...[1] »

Là je m'arrête et essaie de traduire. Un désastre : pauvre Dante et pauvre français ! Tout de même l'expérience ne s'annonce pas trop mal : Jean admire la bizarre similitude de la langue et me suggère le terme approprié pour rendre « antica ».

Et après « Quando »? Rien. Un trou de mémoire. « Prima che sí Enea la nominasse[2]. » Nouveau blanc. Un autre fragment inutilisable me revient à l'esprit : « ... la pietá Del vecchio padre, né'l debito amore Che doveva Penelope far lieta...[3] », mais est-ce que c'est bien ça?

« ... Ma misi me per l'alto mare aperto[4]. »

Ce vers-là, si, j'en suis sûr, je me fais fort

---

1. Le plus haut dard de cette flamme antique En murmurant commença de vibrer, Comme un flambeau que tourmente le vent; Puis çà et là en agitant sa crête. Comme s'il fût la langue qui parlait, il émit au-dehors une voix et nous dit : « Quand... »
2. Avant qu'Énée ainsi ne l'eût nommée.
3. ... la pitié De mon vieux père, ou cet amour juré Qui devait réjouir le cœur de Pénélope...
4. ... Mais je repris la mer, la haute mer ouverte.

174

d'expliquer à Pikolo, de lui faire voir pourquoi « misi me » n'est pas « je me mis »[1] : c'est beaucoup plus fort, beaucoup plus audacieux que cela, c'est rompre un lien, se jeter délibérément sur un obstacle à franchir ; nous la connaissons bien, cette impulsion. « L'alto mare aperto » : Pikolo a voyagé en mer, il sait ce que cela veut dire... c'est quand l'horizon se referme sur lui-même, dégagé, rectiligne, uni, et qu'il n'y a plus dès lors que l'odeur de la mer : douces choses férocement lointaines.

Nous voilà arrivés au Kraftwerk, l'endroit où travaille le Kommando des poseurs de câbles. Il doit y avoir l'ingénieur Levi. Le voilà, on ne voit que sa tête qui dépasse de la tranchée. Il me fait un signe de la main, c'est un homme de valeur, je ne l'ai jamais vu découragé, je ne l'ai jamais entendu parler de nourriture.

« Mare aperto ». « Mare aperto ». Je sais que ça rime avec « diserto » : « ... quella compagna Picciola, dalla qual non fui diserto[2] », mais je ne me rappelle plus si ça vient avant ou après. Et puis le voyage, le téméraire voyage au-delà des colonnes d'Hercule, que c'est triste, je suis obligé de le raconter en prose : un sacrilège. Je n'en ai sauvé qu'un vers, mais qui mérite qu'on s'y arrête :

1. « Misi me » : littéralement, « je me mis moi-même », la tournure grammaticale soulignant l'intervention de la volonté, comme l'indique le commentaire qui suit.
2. ... avec cette poignée D'amis qui ne m'avaient jamais abandonné.

... « Acciò che l'uom piú oltre non si metta[1]. »

« Si metta » : il fallait que je vienne au Lager pour m'apercevoir que c'est le même tour que tout à l'heure : « e misi me ». Mais je n'en parle pas à Jean, je ne suis pas sûr que ce soit une remarque importante. Il y aurait tant d'autres choses à dire, et le soleil est déjà haut, midi approche. Je suis pressé, furieusement pressé.

J'y suis, attention Pikolo, ouvre grands tes oreilles et ton esprit, j'ai besoin que tu comprennes :

« Considerate la vostra semenza
Fatti non foste a viver come bruti
Ma per seguir virtute e conoscenza[2]. »

Et c'est comme si moi aussi j'entendais ces paroles pour la première fois : comme une sonnerie de trompettes, comme la voix de Dieu. L'espace d'un instant, j'ai oublié qui je suis et où je suis.

Pikolo me prie de répéter. Il est bon, Pikolo, il s'est rendu compte qu'il est en train de me faire du bien. A moins que, peut-être, il n'y ait autre chose : peut-être que, malgré la traduction plate et

1. ... Afin que nul n'osât se hasarder plus loin.
2. Considérez quelle est votre origine : Vous n'avez pas été faits pour vivre comme brutes. Mais pour ensuivre et science et vertu.

le commentaire sommaire et hâtif, il a reçu le message, il a senti que ces paroles le concernent, qu'elles concernent tous les hommes qui souffrent, et nous en particulier; qu'elles nous concernent nous deux, qui osons nous arrêter à ces choses-là avec les bâtons de la corvée de soupe sur les épaules.

« Li miei compagni fec'io sí acuti...[1] »

... et je m'efforce, mais en vain, d'expliquer tout ce qu'il y a dans cet « acuti ». Ici encore une lacune, irréparable cette fois. « ... Lo lume era di sotto della luna[2] » ou quelque chose comme ça; mais avant?... Aucune idée, « keine Ahnung » comme on dit ici. Que Pikolo m'excuse, j'ai oublié au moins quatre tercets.

— *Ça ne fait rien, vas-y tout de même.*

« ... Quando mi apparve una montagna, bruna
Per la distanza, e parvemi alta tanto
Che mai veduta non ne avevo alcuna[3]. »

Oui, oui, « alta tanto », et pas « molto alta », proposition consécutive. Et les montagnes, quand

1. J'avais si fort excité mes amis...
2. La face de la lune avait reçu le jour.
3. Quand se montra, bleu par la distance, Un sommet isolé qui me parut plus haut Qu'aucun des monts que j'avais jamais vus.

on les voit de loin... les montagnes... oh! Pikolo, Pikolo, dis quelque chose, parle, ne me laisse pas penser à mes montagnes, qui apparaissaient, brunes dans le soir, quand je revenais en train, de Milan à Turin!

Assez, il faut continuer, ce sont des choses qu'on pense mais qu'on ne dit pas. Pikolo attend et me regarde.

Je donnerais ma soupe d'aujourd'hui pour pouvoir trouver la jonction entre «non ne avevo alcuna» et la fin. Je m'efforce de reconstruire le tout en m'aidant de la rime, je ferme les yeux, je me mords les doigts : peine perdue, le reste est silence. D'autres vers me traversent l'esprit : «... la terra lagrimosa diede vento...[1]», non, c'est autre chose. Il est tard, il est tard, nous voilà aux cuisines, il faut conclure :

« Tre volte il fe'girar con tutte l'acque,
Alla quarta levar la poppa in suso
E la prora ire in giú, come altrui piacque...[2] »

Je retiens Pikolo : il est absolument nécessaire et urgent qu'il écoute, qu'il comprenne ce «come altrui piacque» avant qu'il ne soit trop tard; demain lui ou moi nous pouvons être morts, ou ne

1. ... De la terre des pleurs un grand vent s'éleva...
2. Par trois fois dans sa masse elle la fit tourner : Mais à la quarte fois, la poupe se dressa Et l'avant s'abîma, comme il plut à quelqu'un...

plus jamais nous revoir ; il faut que je lui dise, que je lui parle du Moyen Age, de cet anachronisme si humain, si nécessaire et pourtant si inattendu, et d'autre chose encore, de quelque chose de gigantesque que je viens d'entrevoir à l'instant seulement, en une fulgurante intuition, et qui contient peut-être l'explication de notre destin, de notre présence ici aujourd'hui...

Nous voilà maintenant en train de faire la queue pour la soupe, mêlés à la foule sordide et déguenillée des porte-soupe des autres Kommandos. Les derniers arrivés se bousculent derrière nous.

— Kraut und Rüben ?

— Kraut und Rüben.

C'est l'annonce officielle que nous aurons aujourd'hui de la soupe aux choux et aux navets :

— Cavoli e rape.

— Kaposzta és répak.

« Infin che l'mar fu sopra noi rinchiuso[1]. »

1. Jusqu'à tant que la mer fût sur nous refermée.

12

LES ÉVÉNEMENTS DE L'ÉTÉ

Des convois en provenance de Hongrie n'avaient cessé d'affluer pendant tout le printemps. Un prisonnier sur deux était hongrois, et le hongrois était devenu, après le yiddish, la seconde langue du camp.

Au mois d'août 1944, nous qui étions arrivés cinq mois auparavant, nous comptions déjà parmi les anciens. En vertu de quoi personne au Kommando 98 ne s'était montré surpris que les promesses prodiguées et notre succès à l'examen de chimie n'aient abouti à rien. Non, cela ne nous avait ni surpris ni déçus outre mesure : au fond, nous avions tous un peu peur des changements : « Quand on change, c'est toujours en pire », disait un proverbe du camp. Et par ailleurs, l'expérience nous avait prouvé maintes fois la vanité de toute prévision : à quoi bon se tourmenter à prévoir l'avenir, quand aucun de nos actes, aucune de nos paroles n'aurait pu l'infléchir si peu que ce fût ? Nous étions de vieux Häftlinge : notre sagesse, c'était de « ne pas chercher à comprendre », de ne pas imaginer l'avenir, de ne pas nous mettre en peine pour savoir quand et comment tout cela finirait : de ne pas poser de questions, et de ne pas nous en poser.

Les souvenirs de notre vie d'autrefois nous revenaient encore, mais vaporeux et lointains, et par là même pénétrés de douceur et de tristesse, comme le sont les souvenirs de la petite enfance et de toute chose révolue. En revanche, l'entrée au camp marquait pour chacun de nous la première étape d'une tout autre série de souvenirs, cruels et proches ceux-là, et sans cesse ravivés par l'expérience présente, comme le seraient des blessures chaque jour rouvertes.

Les bruits qui couraient au chantier, du débarquement en Normandie, de l'offensive russe et de l'attentat manqué contre Hitler, avaient fait jaillir en nous des espoirs violents mais éphémères. Jour après jour, en chacun de nous, les forces diminuaient, la volonté de vivre s'effritait, l'esprit s'obscurcissait. Et puis la Normandie et la Russie étaient si loin et l'hiver si proche, si concrètes la faim et la détresse et si irréel tout le reste, qu'il nous semblait impossible qu'il y eût réellement un monde et un temps autres que ce monde de boue et ce temps stérile et stagnant, dont nous étions désormais incapables d'imaginer qu'il pût finir un jour.

Pour les hommes libres, le cadre temporel a toujours une valeur, d'autant plus grande que celui qui s'y meut y déploie de plus vastes ressources intérieures. Mais pour nous, les heures, les jours et les mois n'étaient qu'un flux opaque qui transformait, toujours trop lentement, le futur en passé, une camelote inutile dont nous cherchions à nous débarrasser au plus vite. Le temps était fini où les jours se succédaient vifs, précieux, uniques : l'avenir se dressait devant nous, gris et sans contours, comme une invincible barrière. Pour nous, l'histoire s'était arrêtée.

Mais au mois d'août 1944, les bombardements commencèrent sur la Haute-Silésie et se poursuivirent par à-coups pendant tout l'été et l'automne, jusqu'à la crise définitive.

Le monstrueux travail de gestation collective qui animait la Buna s'arrêta brusquement, dégénérant aussitôt en un paroxysme d'activité désordonnée et frénétique. La date prévue, et désormais attendue d'un jour à l'autre, pour la mise en route de la production de caoutchouc synthétique fut repoussée à plusieurs reprises, et les Allemands finirent par ne plus en parler du tout.

On cessa de bâtir. On employa ailleurs la force de production de l'immense troupeau d'esclaves, qui se faisait de jour en jour plus lent à se mouvoir, plus passivement hostile. A chaque attaque aérienne, il fallait réparer de nouveaux dégâts, démonter et déplacer les délicats mécanismes dont on avait laborieusement achevé la mise au point quelques jours plus tôt, ériger en toute hâte des abris et des refuges qui, à l'épreuve, s'avéraient dérisoirement précaires et inutiles.

Nous pensions que tout était préférable à la

monotonie des jours identiques et sans fin, à la tristesse lugubre, systématique et réglementée, du travail à la Buna; mais nous avons dû changer d'avis quand la Buna a commencé à tomber en morceaux autour de nous, comme frappée par une malédiction dans laquelle nous nous sentions englobés. Il nous a fallu suer dans la poussière et les décombres brûlants, et trembler comme des bêtes, plaqués au sol sous les bombardements qui faisaient rage. Et lorsque, le soir venu, par ces interminables soirées venteuses de l'été polonais, nous rentrions du travail, rompus de fatigue et brûlés par la soif, nous retrouvions le camp sens dessus dessous, pas une goutte d'eau pour boire et nous laver, pas de soupe pour nos estomacs vides, pas de lumière pour défendre notre pain de la faim du voisin, et pour retrouver, le matin, nos sabots et nos vêtements dans la bauge sombre et hurlante du Block.

A la Buna, les civils allemands se déchaînaient, en proie à la fureur de l'homme sûr de lui qui, s'éveillant d'un long rêve de domination, assiste à son écroulement et se refuse à comprendre. De même, chez les Reichsdeutsche du camp, « politiques » compris, chacun se sentit, à l'heure du danger, uni aux autres par les liens du sol et du sang. L'événement ramena l'enchevêtrement de haines et d'incompréhensions à ses termes élémentaires et rétablit une nette division entre les deux camps adverses : les politiques, tout comme les triangles verts et les SS, lisaient ou croyaient lire sur chacun de nos visages le sarcasme de la revanche et la joie cynique de la vengeance. Unis dans cette conviction, ils redoublèrent de férocité.

Aucun Allemand ne pouvait désormais oublier que nous étions de l'autre côté : du côté des terribles semeurs de mort qui, insoucieux des barrages, sillonnaient en maîtres le ciel allemand et réduisaient leur grosse machine de guerre à des morceaux de fer tordu, portant le massacre jusque dans leurs maisons, les maisons du peuple allemand que nul n'avait encore violées.

Quant à nous, nous étions trop anéantis pour avoir vraiment peur. Les quelques individus encore capables de sentir et de raisonner lucidement virent dans les bombardements une raison d'espérer et de reprendre courage; ceux que la faim n'avait pas encore réduits à l'apathie définitive profitèrent souvent des moments de panique générale pour se lancer dans des expéditions doublement téméraires (d'abord à cause du risque direct que représentait l'attaque aérienne, ensuite parce que le vol commis en situation d'urgence était puni de pendaison) jusqu'aux cuisines de l'usine et aux entrepôts. Mais pour la plupart, nous supportâmes ce nouveau danger et ces nouvelles embûches avec la même indifférence, qui n'était pas de la résignation mais plutôt l'inertie obtuse des bêtes battues qui ne réagissent plus aux coups.

L'accès aux refuges blindés nous était interdit. Quand la terre commençait à trembler, nous nous traînions, assourdis et chancelants, au milieu des émanations corrosives des fumigènes, jusqu'aux vastes terrains vagues, sinistres et stériles, situés dans l'enceinte de la Buna; et là, nous restions étendus sans bouger, entassés les uns sur les autres comme des cadavres, savourant malgré tout le bien-être momentané de nos corps en repos. Nous regardions d'un œil morne les colonnes de fumée et de feu qui s'élevaient autour de nous : dans les moments d'accalmie, marqués par ce léger vrombissement menaçant que connaissent bien ceux qui ont vécu la guerre, nous cueillions sur le sol cent fois piétiné des chicorées et des camomilles rabougries que nous mâchions longuement en silence.

L'alerte passée, nous nous mettions en devoir de regagner nos postes, immense troupeau silencieux, accoutumé à la colère des hommes et des choses; et nous reprenions notre travail de tous les jours, exécré depuis toujours, mais plus que jamais inutile et insensé.

C'est dans ce monde chaque jour plus profondément ébranlé par les soubresauts de la fin prochaine que, en proie à de nouvelles terreurs, à de nouveaux espoirs et à des périodes d'esclavage exacerbé, je devais rencontrer Lorenzo.

L'histoire de mes rapports avec Lorenzo est à la fois longue et courte, simple et énigmatique. C'est une histoire qui appartient à un temps et à des circonstances aujourd'hui abolis, que rien dans la réalité présente ne saurait restituer, et dont je ne crois pas qu'elle puisse être comprise autrement que ne le sont aujourd'hui les faits légendaires ou ceux des temps les plus reculés.

En termes concrets, elle se réduit à peu de chose : tous les jours, pendant six mois, un ouvrier civil italien m'apporta un morceau de pain et le fond de sa gamelle de soupe ; il me donna un de ses chandails rapiécés et écrivit pour moi une carte postale qu'il envoya en Italie et dont il me fit parvenir la réponse. Il ne demanda rien et n'accepta rien en échange, parce qu'il était bon et simple, et ne pensait pas que faire le bien dût rapporter quelque chose.

Tout cela est bien plus important qu'il n'y paraît. Je n'étais pas un cas isolé ; comme je l'ai déjà dit, plusieurs d'entre nous entretenaient des rapports de différentes sortes avec des civils et en tiraient de quoi subsister : mais c'étaient des rapports d'une tout autre nature. Nos camarades en parlaient sur le ton ambigu et plein de sous-entendus des hommes du monde quand ils parlent de leurs conquêtes féminines : c'est-à-dire comme d'aventures dont on peut tirer un juste orgueil et qu'on désire se voir envier, mais qui demeurent toutefois, même pour les consciences les plus païennes, en marge de la légalité et de l'honnêteté ; de sorte qu'il serait choquant et déplacé d'en parler trop complaisamment. De même, les Häftlinge évoquent leurs « protecteurs » et « amis » civils avec une discrétion affectée, soucieux de taire leur nom, non pas tant pour ne pas les compromettre que pour ne point susciter d'indésirables rivaux. Les plus chevronnés, les séducteurs professionnels comme Henri, n'en parlent pas du tout ; ils entourent leurs succès d'une aura de mystère équivoque, et en disent juste assez pour accréditer chez les auditeurs la légende confuse et inquiétante qu'ils jouissent des bonnes grâces de civils immensément riches et puissants. Et cela dans un but bien précis, car la réputation de chance, comme nous l'avons fait remarquer ailleurs, représente un atout de première importance pour qui sait s'en prévaloir.

La réputation de séducteur, d'« organisé », suscite à la fois l'envie, le sarcasme, le mépris et l'admiration. Celui qui se laisse surprendre en train de manger un supplément « organisé » commet une erreur impardonnable : on y voit un manque de pudeur et de tact, et surtout une preuve évidente de sottise. Mais il serait tout aussi stupide et inconvenant de demander : « Qui est-ce qui t'a donné ça ? Où est-ce que tu l'as trouvé ? Comment as-tu fait ? » Il n'y a que les Gros Numéros qui posent des questions pareilles, pauvres niais sans défense qui ne connaissent rien aux lois du camp. Dans ces cas-là, on ignore la question, ou bien on y répond par une expression telle que « Verschwinde, Mensch ! », « Hau'ab », « Uciekaj », « Schiess' in den Wind », « *Va chier* », « Levati di torno » ; bref, par un des nombreux équivalents de « Fous-moi le camp » dont le jargon du Lager abonde.

Il y a aussi ceux qui se spécialisent dans des opérations d'espionnage patientes et compliquées, pour identifier le ou les civils qui chaperonnent tel ou tel détenu, et chercher par tous les moyens à le supplanter. D'où d'interminables disputes de priorité, d'autant plus amères pour le perdant qu'un civil déjà « dégrossi » est presque toujours plus rentable et surtout plus sûr que celui qui en est à ses premiers contacts avec nous. Il vaut beaucoup plus, pour d'évidentes raisons sentimentales et techniques : il connaît déjà les bases de l'« organisation », ses règles et ses risques, et de plus, il a donné la preuve qu'il était capable de franchir la barrière des castes.

Car pour les civils, nous sommes des parias. Plus ou moins explicitement, et avec toutes les nuances qui vont du mépris à la commisération, les civils se disent que pour avoir été condamnés à une telle vie, pour en être réduits à de telles conditions, il faut que nous soyons souillés de quelque faute mystérieuse et irréparable. Ils nous entendent parler dans toutes sortes de langues qu'ils ne comprennent pas et qui leur semblent aussi grotesques que des cris d'animaux. Ils nous voient ignoblement asservis, sans cheveux, sans honneur et sans nom, chaque jour battus, chaque jour plus abjects, et jamais ils ne voient dans nos yeux le moindre signe de rébellion, ou de paix, ou de foi. Ils nous connaissent chapardeurs et sournois, boueux, loqueteux et faméliques, et, prenant l'effet pour la cause, nous jugent dignes de notre abjection. Qui pourrait distinguer nos visages les uns des autres ? Pour eux, nous sommes « Kazett », neutre singulier.

Bien entendu, cela n'empêche pas que beaucoup d'entre eux nous jettent de temps à autre un morceau de pain ou une pomme de terre, ou qu'ils nous confient leur gamelle à racler et à laver après la distribution de la « Zivilsuppe » au chantier. Mais s'ils le font, c'est surtout pour se débarrasser d'un regard famélique un peu trop insistant, ou dans un accès momentané de pitié, ou tout bonnement pour le plaisir de nous voir accourir de tous côtés et nous disputer férocement le morceau, jusqu'à ce que le plus fort l'avale, et que tous les autres s'en repartent, dépités et claudicants.

Or, entre Lorenzo et moi, il ne se passa rien de tout cela. A supposer qu'il y ait un sens à vouloir expliquer pourquoi ce fut justement moi, parmi des milliers d'autres êtres équivalents, qui pus résister à l'épreuve, je crois que c'est justement à Lorenzo que je dois d'être encore vivant aujourd'hui, non pas tant pour son aide matérielle que pour m'avoir constamment rappelé, par sa présence, par sa façon si simple et facile d'être bon, qu'il existait encore, en dehors du nôtre, un monde juste, des choses et des êtres encore purs et intègres que ni la corruption ni la barbarie n'avaient contaminés, qui étaient demeurés étrangers à la haine et à la peur ; quelque chose d'indéfinissable, comme une lointaine possibilité de bonté, pour laquelle il valait la peine de se conserver vivant.

Les personnages de ce récit ne sont pas des hommes. Leur humanité est morte, ou eux-mêmes l'ont ensevelie sous l'offense subie ou infligée à autrui. Les SS féroces et stupides, les Kapos, les politiques, les criminels, les prominents grands et petits, et jusqu'aux Häftlinge, masse asservie et indifférenciée, tous les échelons de la hiérarchie dénaturée instaurée par les Allemands sont paradoxalement unis par une même désolation intérieure.

Mais Lorenzo était un homme : son humanité était pure et intacte, il n'appartenait pas à ce monde de négation. C'est à Lorenzo que je dois de n'avoir pas oublié que moi aussi j'étais un homme.

13

OCTOBRE 1944

Nous avons lutté de toutes nos forces pour empêcher l'hiver de venir. Nous nous sommes agrippés à toutes les heures tièdes ; à chaque crépuscule nous avons cherché à retenir encore un peu le soleil dans le ciel, mais tout a été inutile. Hier soir, le soleil s'est irrévocablement couché dans un enchevêtrement de brouillard sale, de cheminées d'usines et de fils ; et ce matin, c'est l'hiver.

Nous savons ce que ça veut dire, parce que nous étions là l'hiver dernier, et les autres comprendront vite. Ça veut dire que dans les mois qui viennent, sept sur dix d'entre nous mourront. Ceux qui ne mourront pas souffriront à chaque minute de chaque jour, et pendant toute la journée : depuis le matin avant l'aube jusqu'à la distribution de la soupe du soir, ils devront tenir les muscles raidis en permanence, danser d'un pied sur l'autre, enfouir leurs mains sous leurs aisselles pour résister au froid. Ils devront dépenser une partie de leur pain pour se procurer des gants, et perdre des heures de sommeil pour les réparer quand ils seront décousus. Comme on ne pourra plus manger en plein air, il nous faudra prendre nos repas dans la baraque, debout, sans pouvoir nous appuyer aux couchettes puisque c'est interdit, dans un espace respectif de quelques centimètres carrés de plancher. Les blessures de nos mains se rouvriront, et pour obtenir un pansement il faudra chaque soir faire la queue pendant des heures, debout dans la neige et le vent.

De même que ce que nous appelons faim ne correspond en rien à la sensation qu'on peut avoir quand on a sauté un repas, de même notre façon d'avoir froid mériterait un nom particulier. Nous disons « faim », nous disons « fatigue », « peur » et « douleur », nous disons « hiver », et en disant cela nous disons autre chose, des choses que ne peuvent exprimer les mots libres, créés par et pour des hommes libres qui vivent dans leurs maisons et connaissent la joie et la peine. Si les Lager avaient duré plus longtemps, ils auraient donné le jour à un langage d'une âpreté nouvelle ; celui qui nous manque pour expliquer ce que c'est que peiner tout le jour dans le vent, à une température au-dessous de zéro, avec, pour tous vêtements, une chemise, des caleçons, une veste et un pantalon de toile, et dans le corps la faiblesse et la faim, et la conscience que la fin est proche.

Comme on voit s'évanouir un espoir, ce matin nous avons constaté que l'hiver était là. Chacun s'en est aperçu en sortant de la baraque pour aller se laver : il n'y avait pas d'étoiles, l'air sombre et froid sentait la neige. Pendant le rassemblement place de l'Appel pour le départ au travail, dans les premières lueurs de l'aube, personne n'a parlé. Quand nous avons vu tomber les premiers flocons, nous nous sommes dit que si l'année dernière à pareille époque on nous avait dit que nous devions voir un autre hiver au Lager, nous serions allés toucher les barbelés électrifiés ; que nous devrions y aller maintenant même, si nous étions logiques, s'il n'y avait pas encore en nous, tout au fond, cet espoir fou, irraisonné, que nous n'osons nous avouer.

Car l'hiver ici n'est pas que l'hiver.

Au printemps dernier, les Allemands ont dressé sur un des terrains vagues du Lager deux immenses tentes, dont chacune a accueilli pendant toute la saison un millier de prisonniers ; à présent, elles sont démontées, et deux mille hommes se pressent en surnombre dans les baraques. Nous, les anciens, nous savons que ce genre d'irrégularité ne plaît guère aux Allemands et que tôt ou tard ils trouveront un moyen de réduire notre nombre.

On sent l'approche des sélections. « Selekcja » : le mot hybride, mi-latin mi-polonais, revient de temps en temps, puis de plus en plus souvent, dans les conversations en différentes langues. Au début, on n'y fait pas attention, puis il s'impose à nous, enfin il nous obsède.

Ce matin, les Polonais disent : « Selekcja ». Les Polonais, qui sont toujours les premiers à connaître les nouvelles, s'arrangent en général pour n'en rien laisser transpirer, en vertu du principe que savoir quelque chose quand personne ne sait rien peut toujours être utile. Quand tout le monde saura que la sélection est imminente, le peu qu'on pourrait tenter de faire pour y échapper (corrompre un médecin ou un prominent avec du pain ou du tabac, saisir le moment opportun pour passer de la baraque au K.B., ou vice versa, de manière à croiser la commission) aura déjà été exploité à leur bénéfice exclusif.

Les jours suivants, l'atmosphère du Lager et du chantier est saturée de « Selekcja » : personne ne sait rien de précis, mais tout le monde en parle, même les ouvriers libres, polonais, italiens et français que nous rencontrons en cachette sur notre lieu de travail. On ne peut pas dire qu'il en résulte un abattement général. Notre moral collectif est trop égal et borné pour être instable. La lutte contre la faim, le froid et le travail laissent peu de place à la pensée, même s'il s'agit de *cette* pensée. Chacun réagit à sa façon, mais presque personne par les attitudes qui sembleraient les plus plausibles parce que les plus réalistes : la résignation ou le désespoir.

Ceux qui peuvent faire quelque chose le font ; mais c'est une minorité, car il est très difficile d'échapper à la sélection, les Allemands faisant preuve en ce domaine d'un sérieux et d'une diligence exemplaires.

Ceux qui n'ont matériellement aucune chance de s'en tirer se consolent comme ils peuvent. Aux

latrines, aux lavabos, c'est à qui exhibera son tho-
rax, ses fesses, ses cuisses, pour obtenir de son
voisin quelques paroles de réconfort : « Tu peux
être tranquille, ce ne sera pas encore pour cette
fois... du bist kein Muselman... tandis que moi par
contre... » et l'autre, à son tour, de baisser son
pantalon et de soulever sa chemise.

Personne ne refuse cette aumône à son voisin.
Personne n'est suffisamment sûr de son propre
sort pour avoir le courage d'en condamner un
autre. Moi aussi, j'ai menti effrontément au vieux
Wertheimer ; je lui ai dit que, si on l'interroge, il
n'a qu'à dire qu'il a quarante-cinq ans, et que surtout il n'oublie pas de se faire faire la barbe la
veille au soir, quitte à y laisser un quart de ration
de pain ; qu'à part ça il n'a pas à s'en faire, et que
d'ailleurs ce n'est pas sûr du tout qu'il s'agisse
d'une sélection pour la chambre à gaz ; est-ce qu'il
n'a pas entendu dire lui-même par le Blockältester
que ceux qui seraient choisis iraient au camp de
convalescence de Jaworzno ?

Il est absurde que Wertheimer espère : on lui
donnerait soixante ans, il a d'énormes varices, et il
est tellement affaibli que c'est à peine s'il souffre
encore de la faim. Et pourtant il va se coucher
tranquille, rassuré, et quand on lui pose des questions, il répond par mes propres paroles, qui sont
d'ailleurs le mot d'ordre du camp ces jours-ci : je
les ai moi-même répétées, à quelques détails près,
telles que je me les étais entendu dire par Chajim,
qui est au Lager depuis trois ans, et qui, étant fort

et robuste, est merveilleusement sûr de lui et m'a convaincu sur-le-champ.

C'est sur la foi d'assurances aussi précaires que j'ai moi aussi traversé la grande sélection de 1944 avec une incroyable tranquillité. J'étais tranquille parce que j'avais réussi à me mentir juste autant qu'il fallait. Le fait que je n'aie pas été choisi tient surtout au hasard et ne prouve pas que ma confiance ait été justifiée.

M. Pinkert est lui aussi, a priori, un condamné : il suffit de voir ses yeux. Le voilà qui me fait signe de m'approcher et me raconte d'un air confidentiel qu'il a su, de source secrète, qu'effectivement cette fois-ci, il y a du nouveau : le Saint-Siège, par le biais de la Croix-Rouge internationale... bref, il peut me garantir personnellement et de la manière la plus absolue qu'aussi bien pour lui que pour moi tout danger est exclu : personne n'ignore que dans le civil il était attaché à l'ambassade de Belgique à Varsovie.

Ainsi donc, à bien des égards, même ces jours d'attente, qui, à les raconter, sembleraient avoir été un supplice insoutenable, s'écoulèrent à peu près comme les autres jours.

Au Lager comme à la Buna, la discipline ne s'est nullement relâchée ; le travail, la faim et le froid suffisent à absorber toute notre attention.

Aujourd'hui, c'est un dimanche ouvrable, Arbeitssonntag : on travaille jusqu'à treize heures, puis on rentre au camp pour la douche, le rasage, le contrôle des poux et de la gale. Et voilà qu'au chantier, mystérieusement, tout le monde a su que la sélection, c'était pour aujourd'hui.

Comme toujours, la nouvelle nous est arrivée nimbée de détails contradictoires et suspects : ce matin même, il y a eu sélection à l'infirmerie, avec un pourcentage de sept pour cent du total des hommes, et de trente ou cinquante pour cent de celui des malades. A Birkenau, la cheminée du four crématoire fume depuis dix jours. Il faut faire de la place pour un énorme convoi en provenance du ghetto de Posen. Les jeunes disent aux jeunes qu'ils choisiront les vieux. Les bien-portants disent aux bien-portants qu'ils ne prendront que les malades. Ils ne prendront pas les spécialistes. Ils ne prendront pas les juifs allemands. Ils ne prendront pas les petits numéros. Ils te prendront toi, pas moi.

Régulièrement, à partir de treize heures précises, le camp se vide et l'interminable troupeau gris défile pendant deux heures devant les deux postes de contrôle où, comme chaque jour, on nous compte et nous recompte, et devant l'orchestre qui, pendant deux heures d'affilée, joue comme chaque jour les marches sur lesquelles, à l'entrée et à la sortie, nous devons régler notre pas.

Tout a l'air d'aller comme d'habitude ; la cheminée des cuisines fume comme à l'ordinaire, et déjà on commence à distribuer la soupe. Mais soudain la cloche a sonné, et nous avons compris que cette fois ça y était.

Car, d'habitude, cette cloche sonne à l'aube

pour annoncer le réveil ; mais quand elle sonne au milieu de la journée, c'est qu'il y a Blocksperre : ordre de rester enfermés dans les baraques ; et cela se produit quand il y a sélection pour que personne ne puisse y échapper, et quand les sélectionnés partent à la chambre à gaz pour que personne ne les voie partir.

Notre Blockältester connaît son métier. Il s'est assuré que nous étions tous rentrés, a fait fermer la porte à clé, a distribué à chacun la fiche où sont inscrits numéro matricule, nom, profession, âge et nationalité, puis il a donné l'ordre de se déshabiller complètement, et de ne garder que ses chaussures. C'est ainsi, nus et fiche en main, que nous attendrons l'arrivée de la commission dans notre baraque. Nous, nous sommes de la baraque 48, mais on ne peut pas savoir s'ils commenceront par la baraque n° 1 ou par la baraque n° 60. De toute façon, nous sommes tranquilles pour une bonne heure au moins, et il n'y a pas de raison de ne pas se glisser sous les couvertures pour se réchauffer un peu.

Beaucoup d'entre nous somnolent déjà, lorsqu'une bordée de jurons accompagnés d'ordres et de coups nous avertit que la commission arrive. Le Blockältester et ses aides, tapant et hurlant, refoulent devant eux, en partant du fond du dortoir, une meute affolée d'hommes nus qu'ils entassent dans le Tagesraum. Le Tagesraum est une petite pièce de sept mètres sur quatre : quand la chasse à l'homme est terminée, la totalité de l'espace disponible est occupée par un congloméré humain chaud et compact qui envahit les moindres interstices et exerce sur les parois en bois une pression à les faire craquer.

Nous sommes tous là, maintenant ; et non seulement nous n'avons pas le temps d'avoir peur, mais nous n'en avons pas la place. Le contact de la chair chaude qui nous comprime de toutes parts est curieux mais pas désagréable. Il nous faut lever le nez pour avoir un peu d'air, et faire bien attention à ne pas froisser ou perdre la fiche que nous tenons à la main.

Le Blockältester a fermé la porte de communication entre le Tagesraum et le dortoir et a ouvert les deux qui donnent sur l'extérieur, celle du Tagesraum et celle du dortoir. C'est là, entre les deux portes, que se tient l'arbitre de notre destin, en la personne d'un sous-officier des SS. A sa droite, il a le Blockältester, à sa gauche le fourrier de la baraque. Chacun de nous sort nu du Tagesraum dans l'air froid d'octobre, franchit au pas de course sous les yeux des trois hommes les quelques pas qui séparent les deux portes, remet sa fiche au SS et rentre par la porte du dortoir. Le SS, pendant la fraction de seconde qui s'écoule entre un passage et l'autre, décide du sort de chacun en nous jetant un coup d'œil de face et de dos, et passe la fiche à l'homme de droite ou à celui de gauche : ce qui signifie pour chacun de nous la vie ou la mort. Une baraque de deux cents hommes est « faite » en trois ou quatre minutes, et un camp entier de douze mille hommes en un après-midi.

Moi, comprimé dans l'amas de chair vivante, j'ai senti peu à peu la pression se relâcher autour de moi, et rapidement mon tour est venu. Comme les autres, je suis passé d'un pas souple et énergique, en cherchant à tenir la tête haute, la poitrine bombée et les muscles tendus et saillants. Du coin de l'œil, j'ai essayé de regarder par-dessus mon épaule et il m'a semblé voir ma fiche passer à droite.

Au fur et à mesure que nous rentrons dans le dortoir, nous pouvons nous rhabiller. Personne ne connaît encore avec certitude son propre destin, avant tout il faut savoir si les fiches condamnées sont celles de droite ou de gauche. Désormais ce n'est plus la peine de se ménager les uns les autres ou d'avoir des scrupules superstitieux. Tout le monde se précipite autour des plus vieux, des plus décrépits, des plus « musulmans » : si leurs fiches sont allées à gauche, on peut être sûr que la gauche est le côté des condamnés.

Avant même que la sélection soit terminée, tout le monde sait déjà que c'est la gauche la « schlechte Seite », le mauvais côté. Bien entendu, il y a eu des irrégularités ; René par exemple, si jeune et si robuste, on l'a fait passer à gauche : peut-être parce qu'il a des lunettes, peut-être parce qu'il marche un peu courbé comme les myopes, mais plus probablement par erreur ; René est passé devant la commission juste avant moi, il pourrait bien s'être produit un échange de fiches. J'y repense, j'en parle à Alberto, et nous convenons que l'hypothèse est vraisemblable : je ne sais pas ce que j'en penserai demain et plus tard ; aujourd'hui, cela n'éveille en moi aucune émotion particulière.

De même pour Sattler, un robuste paysan transylvanien qui était encore chez lui trois semaines plus tôt ; Sattler ne connaît pas l'allemand, il n'a rien compris à ce qui s'est passé, et il est là dans un coin, en train de racommoder sa chemise. Dois-je aller lui dire qu'il n'en aura plus besoin, de sa chemise ?

Ces erreurs n'ont rien d'étonnant : l'examen est très rapide et sommaire, et d'ailleurs, ce qui compte pour l'administration du Lager, ce n'est pas tant d'éliminer vraiment les plus inutiles que de faire rapidement place nette en respectant le pourcentage établi.

Dans notre baraque, la sélection est maintenant finie, mais elle continue dans les autres, ce qui fait que nous restons enfermés. Toutefois, comme entre-temps les bidons de la soupe sont arrivés, le Blockältester décide de procéder à la distribution sans plus attendre. Les sélectionnés auront droit à une double ration. Je n'ai jamais su si c'était là une manifestation absurde de la bonté d'âme des Blockälteste ou une disposition formelle des SS ; toujours est-il qu'à Monowitz-Auschwitz, durant l'intervalle de deux ou trois jours (et beaucoup plus parfois) qui s'écoulait entre la sélection et la partance, les victimes jouissaient de ce privilège.

Ziegler tend sa gamelle, reçoit la ration normale, puis reste là à attendre. « Qu'est-ce que tu veux encore ? » lui demande le Blockältester. Autant qu'il puisse en juger, Ziegler n'a pas droit au supplément ; il le pousse de côté, mais Ziegler revient et insiste humblement : c'est vrai qu'on l'a mis à gauche, tout le monde l'a vu, le Blockältester n'a qu'à consulter ses fiches ; il a droit à la double ration. Et quand il l'a obtenue, il s'en va tranquillement la manger sur sa couchette.

Maintenant, chacun est occupé à gratter attentivement le fond de sa gamelle avec sa cuillère pour en tirer les dernières gouttes de soupe : un tintamarre métallique emplit la pièce, signe que la journée est finie. Peu à peu, le silence s'installe, et alors, du haut de ma couchette au troisième étage, je vois et j'entends le vieux Kuhn en train de prier, à haute voix, le calot sur la tête, balançant violemment le buste. Kuhn remercie Dieu de n'avoir pas été choisi.

Kuhn est fou. Est-ce qu'il ne voit pas, dans la couchette voisine, Beppo le Grec, qui a vingt ans, et qui partira après-demain à la chambre à gaz, qui le sait, et qui reste allongé à regarder fixement l'ampoule, sans rien dire et sans plus penser à rien ? Est-ce qu'il ne sait pas, Kuhn, que la prochaine fois ce sera son tour ? Est-ce qu'il ne comprend pas que ce qui a eu lieu aujourd'hui est une abomination qu'aucune prière propitiatoire, aucun pardon, aucune expiation des coupables, rien enfin de ce que l'homme a le pouvoir de faire ne pourra jamais plus réparer ?

Si j'étais Dieu, la prière de Kuhn, je la cracherais par terre.

14

KRAUS

Quand il pleut, on voudrait pouvoir pleurer. C'est novembre, il pleut depuis dix jours, et la terre ressemble au fond d'un étang. Tout ce qui est en bois a une odeur de champignon.

Si je pouvais faire dix pas sur la gauche, là sous le hangar, je serais à l'abri; je me contenterais bien d'un sac pour me couvrir les épaules, ou même de l'espoir d'un feu où me sécher; ou à la rigueur d'un bout de chiffon sec à glisser entre mon dos et ma chemise. J'y pense, entre deux coups de pelle, et je me persuade qu'un morceau de tissu sec serait vraiment un pur bonheur.

Au point où nous en sommes, il est impossible d'être plus trempés; il ne reste plus qu'à bouger le moins possible, et surtout à ne pas faire de mouvements nouveaux, pour éviter qu'une portion de peau restée sèche n'entre inutilement en contact avec nos habits ruisselants et glacés.

Encore faut-il s'estimer heureux qu'il n'y ait pas de vent. C'est curieux comme, d'une manière ou d'une autre, on a toujours l'impression qu'on a de la chance, qu'une circonstance quelconque, un petit rien parfois, nous empêche de nous laisser aller au désespoir et nous permet de vivre. Il pleut, mais il n'y a pas de vent. Ou bien : il pleut et il vente, mais on sait que ce soir on aura droit à une ration supplémentaire de soupe, et alors on se dit que pour un jour, on tiendra bien encore jusqu'au soir. Ou encore, c'est la pluie, le vent, la faim de tous les jours, et alors on pense que si vraiment ce n'était plus possible, si vraiment on n'avait plus rien dans le cœur que souffrance et dégoût, comme il arrive parfois dans ces moments où on croit vraiment avoir touché le fond, eh bien, même alors, on pense que si on veut, quand on veut, on peut toujours aller toucher la clôture électrifiée, ou se jeter sous un train en manœuvre. Et alors il ne pleuvrait plus.

Depuis ce matin, nous sommes enfoncés dans la boue, jambes écartées, pivotant sur nos hanches à chaque pelletée, les pieds immobilisés dans les deux trous qui se sont creusés sous notre poids dans le terrain gluant. Moi je me trouve à mi-hauteur de la tranchée, Kraus et Clausner au fond, Gounan au-dessus de moi, au niveau du sol. Gounan est le seul qui puisse regarder ce qui se passe autour de lui, et de temps en temps, il nous avertit par monosyllabes qu'il faut accélérer le rythme, ou au contraire que nous pouvons nous reposer, suivant la personne qui passe sur la route à ce moment-là. Clausner pioche, Kraus me passe les pelletées de terre une par une, et moi je les passe à

Gounan, qui entasse la terre à côté de lui. D'autres font la navette avec les brouettes quelque part ailleurs, mais cela ne nous intéresse pas ; pour aujourd'hui, notre univers, c'est ce trou plein de boue.

Kraus a raté son coup, un paquet de terre molle vient s'écraser sur mes genoux. Ce n'est pas la première fois que ça arrive, et je lui dis de faire attention, sans trop d'espoir : il est hongrois, il comprend très mal l'allemand et ne connaît pas un mot de français. Il est long comme une perche, il porte des lunettes et il a un drôle de faciès étroit et un peu tordu ; quand il rit — et il rit souvent — on dirait un gamin. Il travaille trop, et avec trop d'énergie : il n'a pas encore appris l'art dissimulé de tout économiser, le souffle, les gestes, et même les pensées. Il ne sait pas encore qu'il vaut cent fois mieux être battu, parce que généralement les coups ne tuent pas, alors que le travail si, et d'une vilaine mort, car lorsqu'on s'en aperçoit il est déjà trop tard. Il pense peut-être... mais non, le pauvre Kraus, il ne pense rien du tout, c'est seulement son honnêteté stupide de petit employé qui le poursuit jusqu'ici, et qui lui fait croire qu'ici c'est comme dans la vie normale, où il est honnête et logique de travailler, et même avantageux, puisque comme chacun sait, plus on travaille, plus on gagne et plus on mange.

— *Regardez-moi ça !... Pas si vite, idiot !* hurle Gounan du haut de la tranchée ; puis il se rappelle qu'il doit traduire en allemand : « Langsam, du blöder Einer, langsam, verstanden ? » Kraus peut bien se tuer au travail si ça lui chante, mais pas aujourd'hui, pas quand nous travaillons à la chaîne et que notre rythme de travail dépend du sien.

On entend la sirène du Carbure, c'est l'heure où les prisonniers anglais s'en vont, quatre heures et demie. Ensuite, ce sera le tour des Ukrainiennes ; ce sera cinq heures, nous pourrons redresser l'échine, et il n'y aura plus alors que la marche de retour, l'appel et le contrôle des poux pour nous séparer du moment du repos.

« Antreten ! », un seul cri de tous côtés : c'est le rassemblement ; de partout émergent des bons-hommes de boue qui étirent leurs membres engourdis et rapportent les outils dans les baraques. Quant à nous, nous extirpons nos pieds du fossé, avec mille précautions pour ne pas y laisser nos sabots englués et, chancelants et trempés, nous allons nous mettre en rang pour la marche de retour. « Zu dreien », par trois. Je cherche à me mettre à côté d'Alberto, car aujourd'hui nous avons travaillé séparément, et nous avons hâte de nous demander l'un à l'autre comment ça s'est passé ; mais quelqu'un me donne un coup dans l'estomac, et je me retrouve derrière, tiens tiens ! juste à côté de Kraus.

Nous partons. Le Kapo marque le pas d'une voix dure : « Links, links, links » ; au début, on a mal aux pieds, puis petit à petit on se réchauffe et les nerfs se détendent. Et voilà que cette journée, cette journée qui ce matin paraissait invincible et éternelle, nous l'avons transpercée de part en part, minute après minute; et maintenant elle gît devant nous, agonisante et déjà oubliée; ce n'est déjà plus une journée, elle n'a laissé de trace dans la mémoire de personne. Demain, nous le savons, sera pareil à aujourd'hui; peut-être pleuvra-t-il un peu plus, ou un peu moins, peut-être nous fera-t-on décharger des briques au Carbure au lieu de creuser des tranchées. Ou aussi bien, il se pourrait que la guerre finisse demain, et que nous soyons tous tués, ou transférés dans un autre camp, à moins qu'il ne se produise un de ces fantastiques changements que, depuis que le Lager est Lager, on ne se lasse pas de prévoir comme quelque chose de sûr et d'imminent. Mais qui pourrait sérieusement penser à demain?

La mémoire est une bien curieuse mécanique : durant tout mon séjour au camp, ces deux vers qu'un de mes amis a écrits il y a bien longtemps me sont régulièrement revenus à l'esprit :

> « ... infin che un giorno
> senso non avrà più dire : domani »
> (... jusqu'à ce qu'un jour
> dire « demain » n'ait plus de sens)

Ici, c'est exactement comme ça. Savez-vous comment on dit « jamais » dans le langage du camp? « Morgen früh », demain matin.

Maintenant, c'est le moment du « links, links, links und links », le moment de faire attention où

208

on met les pieds. Kraus est maladroit, il s'est déjà attiré un coup de pied du Kapo parce qu'il ne marchait pas en rang : et le voilà qui commence à gesticuler et à bredouiller dans un allemand lamentable rien moins que des excuses — vous avez bien entendu ! — des excuses à mon adresse pour les fameuses pelletées de boue ; il n'a pas encore compris où nous sommes : décidément, il faut bien reconnaître que les Hongrois sont de drôles de gens.

Marcher au pas et tenir en même temps des propos compliqués en allemand, c'est beaucoup pour un seul homme ; cette fois, c'est moi qui lui fais remarquer qu'il se trompe de pied ; et en le regardant, j'ai croisé son regard derrière les gouttes de pluie qui coulaient sur ses lunettes, et c'était le regard de l'homme Kraus.

Alors il se produisit un fait important dont il est significatif que je le raconte maintenant, comme il est significatif, et pour les mêmes raisons sans doute, qu'il se soit produit à ce moment-là. Je me mis à faire un long discours à Kraus : en mauvais allemand, mais en parlant lentement, en détachant les mots, et en m'assurant après chaque phrase qu'il avait bien compris.

Je lui racontai que j'avais rêvé que j'étais chez moi, dans ma maison natale, assis en famille, les jambes sous la table, et qu'il y avait sur cette table une énorme quantité de choses à manger. C'était l'été, et on était en Italie : à Naples ?... mais oui, à Naples, ce n'est pas le moment de se perdre en subtilités. Et voilà que soudain on sonnait à la porte, je me levais très inquiet et j'allais ouvrir, et qui est-ce que je trouvais ? Lui, notre Kraus Páli ici présent, propre, gras, avec des cheveux et des vêtements d'homme libre, une miche de pain à la main. Une miche de deux kilos, encore chaude. Alors je lui disais : « servus, Páli, wie geht's ? » et je me sentais tout joyeux ; je le faisais entrer et j'expliquais à ma famille qui il était, qu'il venait de Budapest, et pourquoi il était aussi trempé : parce qu'il était trempé exactement comme maintenant. Puis je lui donnais à manger et à boire, et un bon lit pour dormir, car il faisait nuit, mais l'air était si merveilleusement tiède qu'en un instant nous étions complètement secs (oui, parce que moi aussi j'étais tout trempé).

Quel bon garçon ce devait être, Kraus, dans le civil ! Ici au Lager, il ne vivra pas longtemps, cela se voit au premier regard et se démontre comme un théorème. Je regrette de ne pas comprendre le hongrois : sous le coup de l'émotion, il me submerge d'un flot de mots magyars incompréhensibles. Je n'ai pu saisir que mon nom, mais à voir ses gestes solennels, on dirait qu'il fait des serments et des vœux.

Pauvre naïf ! Pauvre Kraus ! S'il savait que ce n'est pas vrai, que je n'ai jamais rêvé de lui, qu'il ne m'est rien et n'a jamais rien été pour moi, sinon l'espace d'un court moment ; rien, comme tout ce qui nous entoure ici n'est rien, sauf la faim dans notre corps, et le froid et la pluie sur nous.

15

DIE DREI LEUTE VOM LABOR

Combien de mois se sont écoulés depuis notre arrivée au camp ? Combien depuis le jour où je suis sorti du K.B. ? Et depuis le jour de l'examen de chimie ? Et depuis la sélection d'octobre ?

Alberto et moi, nous nous posons souvent ces questions et bien d'autres encore. Nous étions quatre-vingt-seize quand nous sommes arrivés, nous, les Italiens du convoi cent soixante-quatorze mille ; parmi nous, vingt-neuf seulement ont survécu jusqu'en octobre, et sur ce nombre huit sont passés à la sélection. A présent, nous sommes vingt et un, et l'hiver vient juste de commencer. Combien d'entre nous arriveront vivants à l'année prochaine ? Combien au printemps ?

Depuis plusieurs semaines maintenant, les attaques aériennes ont cessé ; la pluie de novembre s'est changée en neige, et la neige a recouvert les ruines. Les Allemands et les Polonais arrivent au travail avec de grosses bottes de caoutchouc, des passe-montagnes fourrés et des combinaisons matelassées, et les prisonniers anglais avec leurs merveilleux blousons en fourrure. Dans notre Lager, il n'y a pas eu de distribution de manteaux, sauf pour quelques privilégiés ; nous, nous sommes un Kommando de spécialistes, et en théorie, nous ne travaillons qu'à l'intérieur ; aussi sommes-nous restés en tenue d'été.

Nous, nous sommes des chimistes, et donc nous travaillons aux sacs de phényl-bêta. Nous avons débarrassé l'entrepôt après les premières incursions, en pleine canicule : le phényl-bêta se collait, sous les vêtements, à nos membres en sueur, et nous rongeait comme une lèpre ; la peau brûlée de nos visages se détachait en grosses croûtes. Puis les tirs se sont interrompus et nous avons rapporté les sacs dans l'entrepôt. Après quoi l'entrepôt a été touché et nous avons déplacé les sacs dans la cave de la Section Styrène. A présent, l'entrepôt a été remis en état et il faut à nouveau y empiler les sacs. L'odeur entêtante du phényl-bêta imprègne notre unique costume et nous suit jour et nuit comme notre ombre. Voici donc les avantages que nous avons retirés jusqu'ici de notre enrôlement dans le Kommando de Chimie : les autres ont reçu un manteau, et nous non ; les autres portent des sacs de ciment de cinquante kilos, et nous des sacs de phényl-bêta de soixante kilos. Comment pourrions-nous encore penser à l'examen de chimie et à nos illusions d'antan ? Il a été question, au moins quatre fois pendant l'été, du laboratoire du Doktor Pannwitz au bâtiment 939, et le bruit a couru qu'on choisirait parmi nous des analystes pour la Section de Polymérisation.

Mais maintenant c'est bel et bien fini. C'est le dernier acte : l'hiver a commencé, et avec lui notre dernière bataille. Nous ne pouvons plus douter que ce soit la dernière. Quel que soit le moment de la journée où il nous arrive de nous mettre à l'écoute de notre corps, d'interroger nos fibres et nos muscles, la réponse est invariable : nos forces ne suffiront pas. Autour de nous tout parle de désagrégation et de ruine. La moitié du bâtiment 939 n'est plus qu'un amas de décombres et de tôles tordues ; les énormes conduites où rugissait naguère la vapeur surchauffée laissent pendre jusqu'au sol d'informes glaçons bleuâtres gros comme des piliers. La Buna est désormais silencieuse, et quand le vent souffle dans le bon sens, on entend en prêtant l'oreille une vibration souterraine, sourde et continue : le front qui approche. Trois cents prisonniers du ghetto de Lódź, que les Allemands ont transférés devant l'avancée des Russes, viennent d'arriver au camp : ils y ont porté avec eux les échos de la lutte légendaire du ghetto de Varsovie, et nous ont raconté comment, il y a déjà un an, les Allemands ont liquidé le camp de Lublin : une mitrailleuse aux quatre coins, et les baraques incendiées ; le monde civil ne le saura jamais. A quand notre tour ?

Ce matin, comme d'habitude, le Kapo a procédé à la constitution des équipes. Les dix du Chlorure de Magnésium, au Chlorure de Magnésium ! Et les dix s'en vont, en traînant les pieds, le plus lentement possible car le Chlorure de Magnésium est un travail extrêmement pénible : il faut rester toute la journée les pieds enfoncés jusqu'aux chevilles dans de l'eau saumâtre et glaciale qui attaque les chaussures, les vêtements et la peau. Le Kapo saisit une brique et la lance dans le tas : ils s'écartent gauchement mais ne font pas mine d'accélérer l'allure. C'est presque un geste de routine, qui se répète tous les matins, et qui ne suppose pas toujours, de la part du Kapo, l'intention délibérée de nuire.

Les quatre du Scheisshaus, au travail ! Et les voilà en route pour construire les nouvelles latrines. Car il faut savoir qu'avec l'arrivée des convois de Lódź et de Transylvanie, nous avons dépassé l'effectif réglementaire de cinquante Häftlinge, et le mystérieux burcaucrate allemand qui préside à ces sortes de choses nous a autorisés à ériger un « Zweiplätziges Kommandoscheisshaus », à savoir un W.-C. à deux places réservé à notre Kommando. Nous ne sommes pas insensibles à cette marque de considération, qui confère à notre Kommando un lustre particulièrement enviable : mais il est clair que cela nous prive du même coup d'un prétexte commode pour interrompre le travail et mettre au point des combines avec les civils. « Noblesse oblige », dit Henri, qui a d'autres cordes à son arc.

Les douze des briques. Les cinq de Meister Dahm. Les deux des citernes. Combien d'absents ? Trois absents. Homolka, entré ce matin au K.B., le Forgeron mort hier, François transféré on ne sait

214

ni où ni pourquoi. Le compte est bon; le Kapo prend note sur son registre, satisfait. Il ne reste plus que nous, maintenant, les dix-huit du phényl-bêta, plus les prominents du Kommando. Et voilà que survient l'imprévisible.

Le Kapo dit : « Le Doktor Pannwitz a communiqué à l'Arbeitsdienst que trois Häftlinge ont été choisis pour le Laboratoire : 169 509, Brackier; 175 633, Kandek; 174 517, Levi. Pendant un instant mes oreilles bourdonnent et la Buna tourne autour de moi. Au Kommando 98, il y a trois Levi, mais Hundert Vierundsiebzig Fünf Hundert Siebzehn c'est bien moi, pas de doute possible. Je fais partie des trois élus.

Le Kapo nous toise avec un rire hargneux. Un Belge, un Roumain et un Italien : trois Franzosen en somme. Possible que ce soient juste trois Franzosen, les élus pour le paradis du Laboratoire ?

Plusieurs camarades me félicitent; Alberto le premier, avec une joie sincère, sans ombre d'envie. Alberto ne trouve rien à redire à la chance qui m'est échue, il en est même tout heureux, autant par amitié que parce qu'il en profitera lui aussi : car désormais nous sommes tous deux étroitement unis par un pacte d'alliance, à l'intérieur duquel chaque bouchée « organisée » est rigoureusement divisée en deux parties égales. Il n'a pas de motif de m'envier puisqu'il n'entrait ni dans ses espoirs ni même dans ses désirs de se faire admettre au Laboratoire. Alberto, mon ami indompté, ne s'accommodera jamais d'un système; il a dans les veines un sang bien trop libre;

215

son instinct le porte ailleurs, vers d'autres solutions, vers l'imprévu, l'improvisé, le nouveau. A un bon emploi, Alberto préfère sans hésitation les incertitudes et les batailles de la « profession libérale ».

J'ai en poche un billet de l'Arbeitsdienst où il est écrit que le Häftling 174 517, en tant qu'ouvrier spécialisé, a droit à une chemise et à un caleçon neufs, et doit être rasé tous les mercredis.

La Buna déchiquetée gît sous la première neige, silencieuse et rigide comme un immense cadavre ; on entend hurler tous les jours les sirènes du Fliegeralarm ; les Russes sont à quatre-vingts kilomètres. La centrale électrique est à l'arrêt, les colonnes du méthanol n'existent plus, trois des quatre réservoirs d'acétylène ont sauté. Chaque jour, les prisonniers « récupérés » dans tous les camps de Pologne orientale arrivent pêle-mêle dans notre Lager ; quelques-uns partent au travail, mais pour la plupart, la trajectoire mène directement à Birkenau et à la Cheminée. Les rations ont encore diminué. Le K.B. est surpeuplé. Les E-Häftlinge ont introduit au camp la scarlatine, la diphtérie et le typhus pétéchial.

Mais le Häftling 174 517 a été promu spécialiste, il a droit à une chemise et à un caleçon neufs, et doit être rasé tous les mercredis. Nul ne peut se flatter de connaître les Allemands.

Nous sommes entrés dans le Laboratoire, timides, désorientés et sur la défensive comme trois bêtes sauvages qui s'aventureraient dans la grande ville. Que le carrelage est lisse et propre ! C'est un laboratoire étonnamment semblable à n'importe quel autre laboratoire. Trois longues tables de travail couvertes de mille objets familiers. Les récipients en verre mis à égoutter dans un coin, la balance analytique, un poêle Heraeus, un thermostat Höppler. L'odeur me fait tressaillir comme un coup de fouet : la légère odeur aromatique des laboratoires de chimie organique. L'espace d'un instant, je suis violemment assailli par l'évocation soudaine et aussitôt évanouie de la grande salle d'université plongée dans la pénombre, de la quatrième année, de l'air tiède du mois de mai italien.

Herr Stawinoga nous assigne nos postes de travail. Stawinoga est un Germano-Polonais encore jeune, le visage énergique, mais triste et fatigué. Il est lui aussi Doktor : pas en chimie, non (« ne pas chercher à comprendre »), mais en glottologie : « moyennant quoi » c'est lui le chef de laboratoire. Il nous parle le moins possible, mais ne semble pas mal disposé à notre égard. Il nous dit « Monsieur », ce qui est ridicule et déconcertant.

Au Laboratoire, il fait une température merveilleuse : le thermomètre indique 24°. Nous, nous nous disons qu'ils peuvent bien nous faire laver les éprouvettes, balayer le carrelage ou transporter des bouteilles d'hydrogène : n'importe quoi, pourvu que nous restions dedans ; et le problème de l'hiver sera pour nous un problème résolu. Et d'ailleurs, à y réfléchir de plus près, le problème de la faim ne devrait pas non plus poser trop de difficultés. En admettant même qu'ils veuillent vraiment nous fouiller tous les jours à la sortie, est-ce qu'ils le feront chaque fois que nous demanderons à aller aux latrines ? Bien sûr que non. Et ici, il y a du savon, il y a de l'essence, il y a de l'alcool. Je vais coudre une poche secrète à l'intérieur de ma veste, je monterai une combine avec l'Anglais qui travaille à l'atelier et qui trafique sur l'essence. Nous verrons bien si la surveillance est aussi sévère que ça ; et de toute façon, j'ai maintenant un an de Lager, et je sais que si quelqu'un veut voler et s'il s'y met sérieusement, il n'y a pas de surveillance ni de fouilles qui puissent l'en empêcher.

Ainsi, il faut croire que le sort, par des voies insoupçonnées, a décidé que nous trois, objet d'envie de la part des dix mille condamnés, nous n'aurions cet hiver ni faim ni froid. Ce qui veut dire aussi que nous avons de fortes chances de n'attraper aucune maladie grave, de n'avoir aucun membre gelé, de passer à travers les mailles des sélections. Dans ces conditions, quelqu'un de moins rompu que nous aux choses du Lager pourrait être tenté d'espérer survivre et de penser à la liberté. Nous non ; nous, nous savons comment les choses se passent ici ; tout cela est un don du destin, et à ce titre il faut en jouir tout de suite et le plus intensément possible ; mais demain, c'est l'incertitude. Au premier récipient brisé, à la première erreur de mesure, à la moindre inattention, je retournerai me consumer dans la neige et le vent, jusqu'à ce que moi aussi je sois bon pour la Cheminée. Et puis, qui peut savoir ce qui va se passer quand les Russes arriveront?

Car les Russes arriveront. Le sol tremble jour et nuit sous nos pieds; dans le silence vide de la Buna, le grondement sourd et étouffé de l'artillerie résonne maintenant sans interruption. L'atmosphère est tendue, on sent que la fin est proche. Les Polonais ne travaillent plus, les Français marchent de nouveau la tête haute. Les Anglais nous font le clin d'œil et nous saluent en cachette avec le « V » de la victoire, médius et index écartés; et pas toujours en cachette.

Mais les Allemands sont sourds et aveugles, enfermés dans une carapace d'obstination et d'ignorance délibérée. Ils ont de nouveau fixé une date pour la mise en route de la production de caoutchouc synthétique : ce sera pour le 1er février 1945. Ils fabriquent des refuges, creusent des tranchées, réparent les dégâts, construisent, combattent, condamnent, organisent et massacrent. Que pourraient-ils faire d'autre? Ils sont allemands : leur manière d'agir n'est ni réfléchie ni voulue, elle tient à leur nature et au destin qu'ils se sont choisi. Ils ne pourraient pas faire autrement : si on blesse le corps d'un agonisant, la blessure commencera malgré tout à se cicatriser, même si le corps tout entier doit mourir le lendemain.

Maintenant, chaque matin, au moment de former les équipes, le Kapo appelle avant tout le monde les trois du Laboratoire, « die drei Leute vom Labor ». Au camp, matin et soir, rien ne me distingue du troupeau, mais dans la journée, au travail, je suis à l'abri et au chaud et personne ne me bat ; je vole et je vends, sans gros risques, du savon et de l'essence, et peut-être que j'aurai un bon pour des chaussures de cuir. Et puis, peut-on appeler ce que je fais un travail ? Travailler, c'est pousser des wagons, transporter des poutres, fendre des pierres, déblayer de la terre, empoigner à mains nues l'horreur du fer glacé. Tandis que moi je reste assis toute la journée, avec devant moi un cahier et un crayon, et même un livre qu'on m'a donné pour me rafraîchir la mémoire sur les méthodes d'analyse. J'ai un tiroir où je peux mettre mon calot et mes gants, et quand je veux sortir, il suffit que j'avertisse Herr Stawinoga, qui ne dit jamais rien et ne pose pas de questions si j'ai du retard ; il a l'air de souffrir dans sa chair du désastre qui l'entoure.

Les camarades du Kommando m'envient, et ils ont raison ; ne devrais-je pas m'estimer heureux ? Pourtant, tous les matins, je n'ai pas plus tôt laissé derrière moi le vent qui fait rage et franchi le seuil du laboratoire que surgit à mes côtés la compagne de tous les moments de trêve, du K.B. et des dimanches de repos : la douleur de se souvenir, la souffrance déchirante de se sentir homme, qui me mord comme un chien à l'instant où ma conscience émerge de l'obscurité. Alors je prends mon crayon et mon cahier, et j'écris ce que je ne pourrais dire à personne.

Et puis il y a les femmes. Depuis combien de temps n'en ai-je pas vu ? A la Buna, on rencontrait assez souvent les ouvrières ukrainiennes et polonaises, en pantalon et veste de cuir, lourdes et brutales comme leurs hommes. Échevelées et suantes l'été, fagotées dans d'épais vêtements l'hiver, maniant la pelle et la pioche : nous n'avions pas l'impression d'avoir affaire à des femmes.

Ici, c'est différent. Devant les filles du laboratoire, nous nous sentons tous trois mourir de honte et de gêne. Nous savons à quoi nous ressemblons : nous nous voyons l'un l'autre, et il nous arrive parfois de nous servir d'une vitre comme miroir. Nous sommes ridicules et répugnants. Notre crâne est complètement chauve le lundi, et couvert d'une courte mousse brunâtre le samedi. Nous avons le visage jaune et bouffi, tailladé en permanence par la main hâtive du barbier et souvent marqué de bleus et de vilaines plaies. Nous avons un cou long et noueux comme des poulets déplumés. Nos habits sont incroyablement crasseux, couverts de taches de boue, de sang et de gras ; le pantalon de Kandel lui arrive à mi-mollets, découvrant des chevilles anguleuses et poilues ; ma veste me pend des épaules comme d'un portemanteau. Nous sommes pleins de puces et souvent nous nous grattons sans retenue ; nous sommes obligés de demander à aller aux latrines avec une fréquence humiliante. Nos sabots de bois, où s'accumulent en couches alternées la boue séchée et la graisse réglementaire, font un bruit épouvantable.

Quant à notre odeur, nous y sommes désormais habitués, mais les filles non, et elles ne perdent pas une occasion de nous le faire comprendre. Ce n'est pas une odeur quelconque de malpropreté, c'est l'odeur de Häftling, fade et douceâtre, celle qui nous a accueillis à notre arrivée au camp et qui s'exhale, tenace, des dortoirs, des cuisines, des lavabos et des W.-C. du Lager. On l'attrape tout de suite et on ne s'en défait plus : « Si jeune et il pue déjà ! », c'est la formule d'accueil réservée aux nouveaux venus.

Ces filles nous font l'effet de créatures venues d'une autre planète. Ce sont trois jeunes Allemandes, plus une Polonaise, Fräulein Liczba, qui est magasinière, et la secrétaire, Frau Mayer. Elles ont une peau lisse et rosée ; elles portent de jolis vêtements colorés, propres et chauds ; elles ont des cheveux blonds, longs et bien coiffés ; elles parlent avec grâce et bonne éducation et, au lieu de ranger et de nettoyer le laboratoire comme elles devraient le faire, elles fument des cigarettes dans les coins, mangent publiquement des tartines de confiture, se liment les ongles, cassent beaucoup d'objets en verre, et cherchent à en faire retomber la faute sur nous. Quand elles balaient, elles balaient nos pieds. Elles ne nous adressent pas la parole et font la moue quand elles nous voient nous traîner à travers le laboratoire, misérables, crasseux, gauches et trébuchant sur nos sabots. Une fois, j'ai demandé un renseignement à Fräulein Liczba; elle ne m'a pas répondu mais s'est tournée vers Stawinoga d'un air indisposé et lui a parlé d'un ton bref. Je n'ai pas compris la phrase, mais « Stinkjude », je l'ai entendu clairement, et mon sang n'a fait qu'un tour. Stawinoga m'a dit que pour toutes les questions de travail, il fallait s'adresser directement à lui.

Ces jeunes filles chantent, comme chantent toutes les jeunes filles de tous les laboratoires du monde, et cela nous rend profondément malheureux. Elles bavardent entre elles : elles parlent du rationnement, de leurs fiancés, de leurs foyers, des fêtes qui approchent...

— Tu vas chez toi, dimanche ? Moi non, c'est tellement embêtant de voyager !

— Moi j'irai à Noël. Plus que deux semaines, et ce sera de nouveau Noël : c'est incroyable ce que cette année est vite passée !

Cette année est vite passée. L'année dernière, à la même heure, j'étais un homme libre : hors-la-loi, mais libre ; j'avais un nom et une famille, un esprit curieux et inquiet, un corps agile et sain. Je pensais à toutes sortes de choses très lointaines : à mon travail, à la fin de la guerre, au bien et au mal, à la nature des choses et aux lois qui gouvernent les actions des hommes ; et aussi aux montagnes, aux chansons, à l'amour, à la musique, à la poésie. J'avais une confiance énorme, inébranlable et stupide dans la bienveillance du destin, et les mots « tuer » et « mourir » avaient pour moi un sens tout extérieur et littéraire. Mes journées étaient tristes et gaies, mais je

les regrettais toutes, toutes étaient pleines et positives ; l'avenir s'ouvrait devant moi comme une
grande richesse. De ma vie d'alors il ne me reste
plus aujourd'hui que la force d'endurer la faim et
le froid ; je ne suis plus assez vivant pour être
capable de me supprimer.

Si je parlais mieux l'allemand, je pourrais
essayer d'expliquer tout cela à Frau Mayer ; mais
elle ne comprendrait certainement pas, et quand
bien même elle serait assez intelligente et assez
bonne pour comprendre, elle ne pourrait pas supporter ma vue, elle me fuirait, comme on fuit le
contact d'un malade incurable ou d'un condamné
à mort. Ou peut-être me donnerait-elle un bon
pour un demi-litre de soupe civile.

Cette année est vite passée.

16

LE DERNIER

Noël est proche maintenant. Alberto et moi avançons épaule contre épaule dans la longue file grise, le dos courbé pour mieux nous protéger du vent. Il fait nuit et il neige ; ce n'est pas facile de se tenir debout, encore moins de marcher au pas et en rang : de temps en temps, devant nous, quelqu'un trébuche et roule dans la boue noire, et il faut faire un effort d'attention pour l'éviter et reprendre sa place dans la colonne.

Depuis que je suis au Laboratoire, Alberto et moi nous ne travaillons plus ensemble et nous avons toujours beaucoup de choses à nous dire. D'habitude, il ne s'agit pas de sujets très relevés : le travail, les camarades, le pain, le froid ; mais depuis une semaine il y a du nouveau : Lorenzo nous apporte chaque soir trois ou quatre litres de soupe pris sur la ration des ouvriers civils italiens. Pour résoudre le problème du transport, nous avons dû nous procurer ce qu'on appelle ici une « menaschka », c'est-à-dire une gamelle hors série en tôle de zinc, plutôt un seau qu'une gamelle. Silberlust, le chaudronnier, nous en a fabriqué une avec deux morceaux de gouttière, pour trois rations de pain : c'est un splendide récipient, solide et profond, qui a tout de l'ustensile néolithique.

Personne au camp, sauf quelques Grecs, ne possède une menaschka plus grande que la nôtre, si bien qu'en plus de l'avantage matériel, notre condition sociale s'en est trouvée sensiblement améliorée. Une menaschka comme la nôtre, c'est un blason, et des titres de noblesse. Henri est en passe de devenir notre ami et nous parle d'égal à égal ; L. a adopté à notre égard un ton paternel et condescendant ; quant à Elias, il ne nous lâche pas d'une semelle, et tout en nous espionnant tenacement pour percer le secret de notre « organisation », il nous accable d'incompréhensibles déclarations de solidarité et d'affection et nous gratifie régulièrement d'un chapelet d'obscénités monstrueuses et de jurons italiens et français qu'il a appris on ne sait trop où, et par lesquels il entend visiblement nous rendre honneur.

Quant à l'aspect moral de ce nouvel état de choses, nous avons dû convenir, Alberto et moi, qu'il n'y avait pas de quoi être très fiers ; mais il est si facile de se trouver des justifications ! Et d'ailleurs le seul fait d'avoir de nouveaux sujets de conversation est déjà un gros avantage.

Nous parlons de notre projet d'acheter une deuxième menaschka pour établir un roulement avec la première, de façon à n'avoir plus à faire qu'une seule expédition par jour dans le coin perdu du chantier où Lorenzo travaille actuellement. Nous parlons de Lorenzo et de la manière dont nous pourrions le dédommager ; après, si nous en revenons, oui, c'est sûr, nous ferons tout ce que nous pourrons pour lui ; mais à quoi bon parler de l'après ? Aussi bien lui que nous, nous savons que nous avons peu de chance d'en réchapper. Non, il faudrait faire quelque chose tout de suite ; nous pourrions essayer de lui faire réparer ses chaussures au service de cordonnerie du Lager où les réparations sont gratuites (cela peut sembler paradoxal, mais officiellement, dans les camps d'extermination, tout est gratuit). C'est Alberto qui s'en chargera : le chef cordonnier est une de ses connaissances, peut-être que quelques litres de soupe suffiront.

Nous parlons de nos trois dernières prouesses, et nous nous accordons à déplorer que, pour d'évidentes raisons de secret professionnel, il soit fortement déconseillé d'aller nous en vanter : dommage, notre prestige personnel y gagnerait.

La première est une initiative de mon cru. J'ai appris que le Blockältester du 40 était à court de balais, et j'en ai volé un au chantier : jusque-là, rien d'extraordinaire. Mais la difficulté était de « passer » clandestinement le balai au Lager pendant la marche de retour, et c'est là que j'ai trouvé une solution inédite, à ce que je crois, en démembrant le corps du délit en deux parties, brosse et manche, en sciant en deux ce dernier, en portant au camp les différents éléments séparément (les deux tronçons de manche attachés aux cuisses sous le pantalon), et en reconstituant le tout au Lager, après m'être dûment procuré un morceau de tôle, un marteau et des clous pour assembler les morceaux. Le tout en quatre jours seulement.

Contrairement à ce que je craignais, mon client, loin de dénigrer mon balai, l'a montré comme une curiosité à plusieurs de ses amis, qui m'ont passé régulièrement commande pour deux autres balais « du même modèle ».

Mais Alberto a bien d'autres exploits à son actif. Tout d'abord, il a mis au point l'« opération lime », et l'a déjà expérimentée deux fois avec succès. Alberto se présente au magasin de l'outillage, demande une lime et en choisit une plutôt grosse. Le magasinier inscrit « une lime » en face de son numéro matricule, et Alberto s'en va. De là, il se rend tout droit auprès d'un civil de confiance (un Triestin, filou de haute volée, qui a plus d'un tour dans son sac et prête son concours à Alberto plus par amour de l'art que par intérêt ou philanthropie) qui se fait fort de changer la grosse lime sur le marché libre contre deux petites de valeur égale ou inférieure. Alberto rend « une lime » au magasin et vend l'autre.

Et enfin il vient de mettre la dernière main à un véritable chef-d'œuvre, une combinaison audacieuse, sans précédent, et d'une rare élégance. Il faut savoir que depuis quelques semaines, Alberto s'est vu confier une tâche un peu particulière : le matin, au chantier, on lui remet un seau avec des pinces, des tournevis et plusieurs centaines de plaquettes en celluloïd de différentes couleurs qu'il doit monter sur des petits supports spéciaux, pour différencier entre elles les nombreuses et interminables conduites d'eau chaude et froide, de vapeur, d'air comprimé, de gaz, de mazout, de vide, etc., qui parcourent en tous sens la Section de Polymérisation. Il faut savoir aussi (et cela peut sembler sans rapport, mais l'ingéniosité ne consiste-t-elle pas justement à trouver ou à créer des relations entre ordres d'idées apparemment différents?) que pour tous les Häftlinge la douche est un moment extrêmement désagréable pour de nombreuses raisons : il ne coule qu'un filet d'eau, l'eau est froide ou bouillante, il n'y a pas de vestiaire, nous n'avons pas de serviettes, nous n'avons pas de savon et, pendant notre absence forcée, nous nous faisons facilement voler. Comme la douche est obligatoire, les Blockälteste ont besoin d'un système de contrôle pour pouvoir appliquer des sanctions à ceux qui cherchent à se défiler ; la plupart du temps, un homme de confiance du Block s'installe devant la porte et, tel Polyphème, nous tâte au passage lorsque nous sortons : ceux qui sont mouillés reçoivent un ticket, ceux qui sont secs reçoivent cinq coups de fouet. Le lendemain matin, il faut présenter son ticket pour avoir droit à la ration de pain.

L'attention d'Alberto s'est portée sur les tickets. En général, ce sont de simples morceaux de papier que l'on rend le lendemain tout froissés, humides, en piteux état. Alberto connaît les Allemands, et les Blockälteste sont tous allemands ou dressés à l'école allemande : ils aiment l'ordre, la méthode, la bureaucratie; de plus, tout en étant des êtres grossiers, emportés et brutaux, ils n'en nourrissent pas moins un amour infantile pour les objets brillants et multicolores.

Le thème ainsi introduit, en voici maintenant le brillant développement. Alberto a subtilisé systématiquement une série de plaquettes de même couleur; avec chacune d'elles il a confectionné trois rondelles (l'instrument nécessaire, un foret à bouchons, c'est moi qui l'ai « organisé » au Laboratoire); une fois arrivé à deux cents rondelles, chiffre correspondant aux effectifs d'un Block, il s'est présenté au Blockältester et lui a offert la « Spezialität » pour la somme folle de dix rations de pain, en paiements échelonnés. Le client a accepté avec enthousiasme, et Alberto dispose à présent d'un sensationnel article de mode qu'il est sûr de placer dans toutes les baraques, une couleur par baraque (aucun Blockältester ne voudra passer pour pingre ou rétrograde), et, détail essentiel, sans avoir à craindre la concurrence puisqu'il est le seul à avoir accès à la matière première. N'est-ce pas bien imaginé ?

Nous parlons de tout cela, en pataugeant d'une flaque à l'autre, entre le noir du ciel et la boue du chemin. Nous parlons et nous marchons. Moi je porte les deux gamelles vides, Alberto la menaschka délicieusement pleine. Encore une fois la musique de la fanfare, la cérémonie du « Mützen ab », tout le monde enlève son calot d'un geste militaire devant les SS; encore une fois

Arbeit Macht Frei et la formule consacrée du Kapo : « Kommando 98, zwei und sechzig Häftlinge, Stärke stimmt », « soixante-deux prisonniers, le compte est bon ». Mais on ne nous donne pas l'ordre de rompre les rangs, on nous fait marcher jusqu'à la place de l'Appel. Est-ce qu'on va faire l'appel ? Il ne s'agit pas de l'appel. Nous avons vu la lumière crue du phare et le profil bien connu de la potence.

Pendant plus d'une heure encore, les équipes ont continué à défiler, dans le piétinement dur des semelles de bois sur la neige glacée. Quand tous les Kommandos ont été de retour, la fanfare s'est brusquement tue, et une voix rauque d'Allemand a imposé silence. Dans le calme instantané qui a suivi, une autre voix allemande s'est élevée et a parlé longuement avec colère dans la nuit hostile. Enfin, le condamné est apparu dans le faisceau de lumière du phare.

Tout cet apparat et ce cérémonial implacable ne sont pas nouveaux pour nous. Depuis que je suis au camp, j'ai déjà dû assister à treize pendaisons ; mais les autres fois, il s'agissait de délits ordinaires, vols aux cuisines, sabotages, tentatives d'évasion. Cette fois-ci, c'est autre chose.

Le mois dernier, un des fours crématoires de Birkenau a sauté. Personne parmi nous ne sait exactement (et peut-être ne le saura-t-on jamais) comment les choses se sont passées : on parle du Sonderkommando, le Kommando Spécial préposé aux chambres à gaz et aux fours crématoires, qui est lui-même périodiquement exterminé et tenu rigoureusement isolé du reste du camp. Il n'en reste pas moins qu'à Birkenau quelques centaines d'hommes, d'esclaves sans défense et sans forces comme nous, ont trouvé en eux-mêmes l'énergie nécessaire pour agir, pour mûrir le fruit de leur haine.

L'homme qui mourra aujourd'hui devant nous a sa part de responsabilité dans cette révolte. On murmure qu'il était en contact avec les insurgés de Birkenau, qu'il avait apporté des armes dans notre camp, et qu'il voulait organiser ici aussi une mutinerie au même moment. Il mourra aujourd'hui sous nos yeux : et peut-être les Allemands ne comprendront-ils pas que la mort solitaire, la mort d'homme qui lui est réservée, le vouera à la gloire et non à l'infamie.

Quand l'Allemand eut fini son discours que personne ne comprit, la voix rauque du début se fit entendre à nouveau : « Habt ihr verstanden ? » (Est-ce que vous avez compris ?)

Qui répondit « Jawohl » ? Tout le monde et personne : ce fut comme si notre résignation maudite prenait corps indépendamment de nous et se muait en une seule voix au-dessus de nos têtes. Mais tous nous entendîmes le cri de celui qui allait mourir, il pénétra la vieille gangue d'inertie et de soumission et atteignit au vif l'homme en chacun de nous.

« Kameraden, ich bin der letzte ! » (Camarades, je suis le dernier !)

Je voudrais pouvoir dire que de notre masse abjecte une voix se leva, un murmure, un signe d'assentiment. Mais il ne s'est rien passé. Nous sommes restés debout, courbés et gris, tête baissée, et nous ne nous sommes découverts que lorsque l'Allemand nous en a donné l'ordre. La trappe s'est ouverte, le corps a eu un frétillement horrible ; la fanfare a recommencé à jouer, et nous, nous nous sommes remis en rang et nous avons défilé devant les derniers spasmes du mourant.

Au pied de la potence, les SS nous regardent passer d'un œil indifférent : leur œuvre est finie, et bien finie. Les Russes peuvent venir, désormais : il n'y a plus d'hommes forts parmi nous ; le dernier pend maintenant au-dessus de nos têtes, et quant aux autres, quelques mètres de corde ont suffi. Les Russes peuvent bien venir : ils ne trouveront plus que des hommes domptés, éteints, dignes désormais de la mort passive qui les attend.

Détruire un homme est difficile, presque autant que le créer : cela n'a été ni aisé ni rapide, mais vous y êtes arrivés, Allemands. Nous voici dociles devant vous, vous n'avez plus rien à craindre de nous : ni les actes de révolte, ni les paroles de défi, ni même un regard qui vous juge.

Alberto et moi, nous sommes rentrés dans la baraque, et nous n'avons pas pu nous regarder en face. Cet homme devait être dur, il devait être d'une autre trempe que nous, si cette condition qui nous a brisés n'a seulement pu le faire plier.

Car nous aussi nous sommes brisés, vaincus : même si nous avons su nous adapter, même si nous avons finalement appris à trouver notre nourriture et à endurer la fatigue et le froid, même si nous en revenons un jour.

Nous avons hissé la menaschka sur la couchette, nous avons fait le partage, nous avons assouvi la fureur quotidienne de la faim, et maintenant la honte nous accable.

17

HISTOIRE DE DIX JOURS

Depuis plusieurs mois déjà, on entendait par intermittence le grondement des canons russes, lorsque, le 11 janvier 1945, j'attrapai la scarlatine et fus à nouveau hospitalisé au K.B. Infektionsabteilung : une petite chambre en vérité très propre, avec dix couchettes sur deux niveaux ; une armoire, trois tabourets, et le seau hygiénique pour les besoins corporels. Le tout dans trois mètres sur cinq.

Comme l'accès aux couchettes supérieures était malaisé car il n'y avait pas d'échelle, chaque fois que l'état d'un malade s'aggravait, on l'installait au niveau inférieur.

Quand j'arrivai, j'étais le treizième : sur les douze malades déjà présents, quatre avaient la scarlatine — deux « politiques » français et deux jeunes juifs hongrois —, trois étaient atteints de diphtérie, deux du typhus, un autre était affligé d'un répugnant érésipèle facial. Les deux derniers avaient plusieurs maladies à la fois et étaient extrêmement affaiblis.

J'avais une forte fièvre. J'eus la chance d'avoir une couchette pour moi tout seul ; je m'y étendis avec soulagement, je savais que j'avais droit à quarante jours d'isolement et donc de repos, et je m'estimais en assez bon état physique pour n'avoir pas à craindre les séquelles de la scarlatine d'une part, et les sélections de l'autre.

Ayant désormais une longue expérience des choses du camp, j'avais réussi à emporter avec moi mes affaires personnelles ; une ceinture en fil électrique tressé, la cuillère-couteau, une aiguille et trois aiguillées de fil ; cinq boutons ; et enfin dix-huit pierres à briquet que j'avais volées au Laboratoire. Chacune de ces pierres, patiemment travaillée au couteau, pouvait fournir trois pierres plus petites, du calibre d'un briquet normal. Elles avaient été évaluées à six ou sept rations de pain.

Je passai quatre jours tranquilles. Dehors il neigeait et il faisait très froid, mais la baraque était chauffée. On me donnait de fortes doses de sulfamides, je souffrais de violentes nausées et j'avais du mal à manger ; je n'avais pas envie de parler.

Les deux Français atteints de scarlatine étaient sympathiques. Tous deux originaires des Vosges, ils étaient arrivés au camp quelques jours plus tôt avec un gros convoi de civils faits prisonniers au cours des ratissages effectués par les Allemands lors de la retraite de Lorraine. Le plus âgé s'appelait Arthur ; c'était un paysan petit et maigre. L'autre, son compagnon de couchette, s'appelait Charles ; c'était un instituteur de trente-deux ans ;

236

au lieu de la chemise normale, il avait hérité d'un tricot de corps ridiculement court.

Le cinquième jour, nous eûmes la visite du barbier. C'était un Grec de Salonique ; il ne parlait que le bel espagnol des gens de sa communauté, mais comprenait quelques mots de chacune des langues qui se parlaient au camp. Il s'appelait Askenazi et était au camp depuis près de trois ans ; j'ignore comment il avait fait pour obtenir la charge de « Frisör » du K.B., car il ne parlait ni l'allemand ni le polonais, et n'était pas brutal à l'excès. Pendant qu'il était encore dans le couloir, je l'avais entendu parler longuement, et d'un ton fort animé, avec le médecin, un de ses compatriotes. Je lui trouvai une expression insolite, mais comme la mimique des Levantins ne correspond pas à la nôtre, je n'arrivais pas à comprendre si c'était de la frayeur, de la joie ou de l'émotion. Il me connaissait, ou du moins il savait que j'étais italien.

Quand vint mon tour, je descendis laborieusement de ma couchette. Je lui demandai s'il y avait du nouveau : il s'interrompit dans son travail, cligna les paupières d'un air solennel et entendu, indiqua la fenêtre du menton, puis fit de la main un geste ample vers l'ouest :

— Morgen, alle Kamarad weg.

Il me fixa un moment, les yeux écarquillés, comme s'il s'attendait à une manifestation d'étonnement de ma part, puis il ajouta « Todos, todos » et reprit son travail. Il était au courant de mes pierres à briquet, et me rasa avec une certaine délicatesse.

La nouvelle n'éveilla en moi aucune émotion directe. Il y avait plusieurs mois que je n'éprouvais plus ni douleur, ni joie, ni crainte, sinon de cette manière détachée et extérieure, caractéristique du Lager, et qu'on pourrait qualifier de conditionnelle : si ma sensibilité était restée la même, pensais-je, je vivrais un moment d'émotion intense.

J'avais les idées très claires là-dessus ; nous avions déjà prévu depuis longtemps, Alberto et moi, les dangers qui accompagneraient le moment de l'évacuation du camp et de la libération. D'ailleurs, la nouvelle annoncée par Askenazi ne faisait que confirmer des bruits qui circulaient déjà depuis plusieurs jours : les Russes étaient à Czenstochowa, à cent kilomètres au nord ; ils étaient à Zakopane, à cent kilomètres au sud ; à la Buna, les Allemands préparaient déjà les mines pour le sabotage.

Je dévisageai un par un mes compagnons de chambrée : il était clair que ç'aurait été peine perdue de leur en parler. Ils m'auraient répondu : « Et alors ? » et c'est tout. Mais avec les Français, ce n'était pas la même chose, ils étaient encore frais.

— Vous ne savez pas ? leur dis-je, demain on évacue le camp.

Ils m'accablèrent de questions :

— Où ça ? A pied ?... Même les malades ? Même ceux qui ne peuvent pas marcher ?

Ils savaient que j'étais un ancien du camp et

que je comprenais l'allemand, et ils en concluaient que j'en savais là-dessus beaucoup plus que je ne voulais l'admettre.

Je ne savais rien d'autre ; je le leur dis, mais ils n'en continuèrent pas moins à me questionner. Quelle barbe ! Mais c'est qu'ils venaient d'arriver au Lager, ils n'avaient pas encore appris qu'au Lager on ne pose pas de questions.

Dans l'après-midi, le médecin grec vint nous rendre visite. Il annonça que même parmi les malades, tous ceux qui étaient en état de marcher recevraient des souliers et des vêtements, et partiraient le lendemain avec les bien-portants pour une marche de vingt kilomètres. Les autres resteraient au K.B., confiés à un personnel d'assistance choisi parmi les malades les moins gravement atteints.

Le médecin manifestait une hilarité insolite, il avait l'air ivre. Je le connaissais, c'était un homme cultivé, intelligent, égoïste et calculateur. Il ajouta qu'on distribuerait à tout le monde, sans distinction, une triple ration de pain, ce qui mit en joie les malades. Quelques-uns voulurent savoir ce qu'on allait faire de nous. Il répondit que probablement les Allemands nous abandonneraient à nous-mêmes : non, il ne pensait pas qu'ils nous tueraient. Il ne faisait pas grand effort pour cacher qu'il pensait le contraire, sa gaieté même était significative.

Il était déjà équipé pour la marche ; dès qu'il fut sorti, les deux jeunes Hongrois se mirent à parler

entre eux avec animation. Leur période de convalescence était presque achevée, mais ils étaient
encore très faibles. On voyait qu'ils avaient peur
de rester avec les malades et qu'ils projetaient de
partir avec les autres. Il ne s'agissait pas d'un raisonnement de leur part : moi aussi, probablement,
si je ne m'étais pas senti aussi faible, j'aurais obéi
à l'instinct grégaire ; la terreur est éminemment
contagieuse, et l'individu terrorisé cherche avant
tout à fuir.

A travers les murs de la baraque, on percevait
dans le camp une agitation insolite. L'un des deux
Hongrois se leva, sortit et revint une demi-heure
après avec un chargement de nippes immondes,
qu'il avait dû récupérer au magasin des effets destinés à la désinfection. Imité de son compagnon, il
s'habilla fébrilement, enfilant ces loques les unes
sur les autres. On voyait qu'ils avaient hâte de se
trouver devant le fait accompli, avant que la peur
ne les fît reculer.

Ils étaient fous de s'imaginer qu'ils allaient
pouvoir marcher, ne fût-ce qu'une heure, faibles
comme ils étaient, et qui plus est dans la neige,
avec ces souliers percés trouvés au dernier
moment. J'essayai de le leur faire comprendre,
mais ils me regardèrent sans répondre. Ils avaient
des yeux de bête traquée.

L'espace d'un court instant, l'idée m'effleura
qu'ils pouvaient bien avoir raison. Ils sortirent par
la fenêtre avec des gestes embarrassés, et je les
vis, paquets informes, s'éloigner dans la nuit d'un
pas mal assuré. Ils ne sont pas revenus ; j'ai su

beaucoup plus tard que, ne pouvant plus suivre, ils avaient été abattus par les SS au bout des premières heures de route.

Moi aussi, j'avais besoin d'une paire de chaussures : c'était clair. Mais il me fallut peut-être une heure pour arriver à vaincre la nausée, la fièvre et l'inertie. J'en trouvai une paire dans le couloir (les prisonniers en partance avaient saccagé le dépôt de chaussures du K.B. et avaient pris les meilleures : les plus abîmées, percées et dépareillées traînaient dans tous les coins). Juste à ce moment-là je tombai sur l'Alsacien Kosman. Dans le civil, il était correspondant de l'agence Reuter à Clermont-Ferrand : lui aussi était agité et euphorique. Il me dit :

— Si jamais tu arrivais avant moi, écris au maire de Metz que je suis sur le chemin du retour.

Kosman étant connu pour ses relations avec les prominents, son optimisme me parut de bon augure, et j'en profitai pour me justifier à mes propres yeux de mon inertie. Je cachai les souliers et retournai au lit.

Le médecin grec refit une apparition tard dans la nuit, coiffé d'un passe-montagne, un sac sur les épaules. Il lança un roman français sur ma couchette :

— Tiens, lis ça, l'Italien. Tu me le rendras quand on se reverra.

Aujourd'hui encore, je le hais pour ces mots-là. Il savait que nous étions condamnés.

Finalement, ce fut le tour d'Alberto, venu me dire au revoir par la fenêtre, au mépris de l'inter-

diction. Nous étions devenus des inséparables :
« les deux Italiens », comme nous appelaient nos
camarades étrangers qui, le plus souvent, confon-
daient nos prénoms. Depuis six mois nous parta-
gions la même couchette et chaque gramme
d'extra « organisé » par nos soins ; mais Alberto
avait eu la scarlatine quand il était enfant, et moi
je n'avais pu le contaminer. Il partit donc, et je
restai. Nous nous dîmes au revoir en peu de mots :
nous nous étions déjà dit tant de fois tout ce que
nous avions à nous dire... Nous ne pensions pas
rester séparés bien longtemps. Il avait trouvé de
gros souliers de cuir, en assez bon état : il était de
ceux qui trouvent immédiatement tout ce dont ils
ont besoin.

Lui aussi était joyeux et confiant, comme tous
ceux qui partaient. Et c'était compréhensible : on
s'attendait à quelque chose de grand et de nouveau ; on sentait finalement autour de soi une
force qui n'était pas celle de l'Allemagne, on sentait matériellement craquer de toutes parts ce
monde maudit qui avait été le nôtre. Ou du moins
tel était le sentiment des bien-portants qui, malgré
la fatigue et la faim, étaient encore capables de se
mouvoir ; mais il est indéniable qu'un homme
épuisé, nu ou sans chaussures, pense et sent dif-
féremment ; et ce qui dominait alors dans nos
esprits, c'était la sensation paralysante d'être totalement vulnérables et à la merci du destin.

Tous les hommes valides (à l'exception de
quelques individus bien conseillés qui, au dernier
moment, s'étaient déshabillés et glissés dans des

couchettes d'infirmerie) partirent dans la nuit du 17 janvier 1945. Vingt mille hommes environ, provenant de différents camps. Presque tous disparurent durant la marche d'évacuation : Alberto est de ceux-là. Quelqu'un écrira peut-être un jour leur histoire.

Nous restâmes donc sur nos grabats, seuls avec nos maladies et notre apathie plus forte que la peur.

Dans tout le K.B. nous étions peut-être huit cents. Dans notre chambre, nous n'étions plus que onze, installés chacun dans une couchette, sauf Charles et Arthur qui dormaient ensemble. Au moment où la grande machine du Lager s'éteignait définitivement, commençaient pour nous dix jours hors du monde et hors du temps.

18 janvier. La nuit de l'évacuation, les cuisines du camp avaient encore fonctionné, et le lendemain matin, à l'infirmerie, on nous distribua la soupe pour la dernière fois. L'installation de chauffage central ne fonctionnait plus ; il y avait encore un reste de chaleur dans les baraques, mais à chaque heure qui passait, la température baissait, et il était clair que nous ne tarderions pas à souffrir du froid. Dehors il devait faire au moins 20° au-dessous de zéro ; la plupart des malades, quand ils avaient quelque chose sur la peau, n'avaient qu'une chemise.

Personne ne savait ce que nous allions devenir. Quelques SS étaient restés là, quelques miradors étaient encore occupés.

Vers midi, un officier SS fit le tour des baraques. Dans chacune d'elles, il nomma un chef de baraque choisi parmi les non-juifs qui étaient restés, et donna l'ordre d'établir immédiatement une liste séparée des malades juifs et non juifs. La situation semblait claire. Personne ne s'étonna de voir les Allemands conserver jusqu'au bout leur amour national pour les classifications, et il n'y eut plus aucun juif pour penser sérieusement qu'il serait encore vivant le lendemain.

Les deux Français n'avaient rien compris et étaient terrorisés. Je leur traduisis de mauvaise grâce les paroles du SS ; leur peur m'irritait : ils n'avaient pas un mois de Lager, ils n'avaient pas encore vraiment faim, ils n'étaient même pas juifs, et ils avaient peur.

On eut encore droit à une distribution de pain. Je passai l'après-midi à lire le livre laissé par le médecin : il était très intéressant et j'en garde un souvenir étrangement précis. Je fis également une incursion dans le service voisin, à la recherche de couvertures : de ce côté-là, beaucoup de malades avaient été déclarés guéris et leurs couvertures étaient restées libres. J'en pris quelques-unes assez chaudes.

Quand il sut qu'elles venaient du Service Dysenterie, Arthur fit la grimace : « *Y'avait point besoin de le dire* » ; en effet, elles étaient tachées. Quant à moi, je me disais que de toute façon, vu ce qui nous attendait, il valait mieux dormir au chaud.

La nuit tomba bientôt, mais la lumière électrique continuait à fonctionner. Nous vîmes avec une tranquille épouvante qu'un SS armé se tenait au coin de la baraque. Je n'avais pas envie de parler, et je n'avais pas peur, sinon de la manière extérieure et conditionnelle que j'ai dite. Je continuai à lire jusqu'à une heure tardive.

Nous n'avions pas de montres, mais il devait être vingt-trois heures lorsque toutes les lumières s'éteignirent, y compris les projecteurs des miradors. On voyait au loin les faisceaux des éclairages photoélectriques. Une gerbe de lumières crues fleurit dans le ciel et s'y maintint immobile, éclairant violemment le terrain. On entendait le vrombissement des avions.

Puis le bombardement commença. Ce n'était pas nouveau : je descendis de ma couchette, enfilai mes pieds nus dans mes souliers et attendis.

Le bruit semblait venir de loin, de la ville d'Auschwitz peut-être.

Mais voilà qu'il y eut une explosion toute proche, et avant même que j'aie pu reprendre mes esprits, une seconde et une troisième à crever les tympans. Des vitres volèrent en éclats, la baraque trembla, ma cuillère, logée dans une fente de la cloison en bois, tomba par terre.

Puis tout sembla terminé. Cagnolati — un jeune paysan vosgien lui aussi, et qui n'avait sans doute jamais vu d'attaque aérienne — avait jailli tout nu de son lit : tapi dans un coin, il hurlait.

Quelques minutes plus tard, il fut évident que le camp avait été touché. Deux baraques étaient en flammes, deux autres avaient été pulvérisées ;

mais c'étaient toutes des baraques vides. On vit arriver des dizaines de malades, nus et misérables, chassés par le feu qui menaçait leurs baraques : ils demandaient à entrer. Impossible de les accueillir. Ils insistèrent, suppliant et menaçant dans toutes les langues ; il fallut barricader la porte. Ils continuèrent plus loin, éclairés par les flammes, pieds nus dans la neige en fusion. Plusieurs traînaient derrière eux leurs bandages défaits. Quant à notre baraque, elle semblait hors de danger, à moins que le vent ne tournât.

Les Allemands avaient disparu. Les miradors étaient vides.

Aujourd'hui je pense que le seul fait qu'un Auschwitz ait pu exister devrait interdire à quiconque, de nos jours, de prononcer le mot de Providence : mais il est certain qu'alors le souvenir des secours bibliques intervenus dans les pires moments d'adversité passa comme un souffle dans tous les esprits.

On ne pouvait pas dormir ; un carreau était cassé, et il faisait très froid. Je me disais qu'il nous fallait trouver un poêle, l'installer ici, et nous procurer du charbon, du bois et des vivres. Je savais que tout cela était indispensable, mais que je n'aurais jamais assez d'énergie pour m'en occuper tout seul. J'en parlai avec les deux Français.

19 janvier. Les Français furent d'accord. Nous nous levâmes tous trois à l'aube. Je me sentais malade et sans défense, j'avais froid et j'avais peur.

Les autres malades nous regardèrent avec une curiosité pleine de respect : ne savions-nous donc pas que les malades n'ont pas le droit de sortir du K.B. ? Et si les Allemands n'étaient pas encore tous partis ? Mais ils ne dirent rien, trop contents qu'il y eût quelqu'un pour tenter l'expérience.

Les Français n'avaient aucune idée de la topographie du Lager, mais Charles était courageux et robuste, et Arthur avait du flair et le sens pratique des paysans. Nous sortîmes dans le vent d'une glaciale journée de brouillard, enveloppés tant bien que mal dans des couvertures.

Je n'ai jamais rien vu ou entendu qui puisse approcher du spectacle que nous eûmes alors sous les yeux.

Le Lager venait de mourir, et il montrait déjà les signes de la décomposition. Plus d'eau ni d'électricité : des fenêtres et des portes éventrées battaient au vent, des morceaux de tôles arrachées aux toits grinçaient, et les cendres de l'incendie volaient au loin très haut dans les airs. Les bombes avaient fait leur œuvre, et les hommes aussi : loqueteux, chancelants, squelettiques, les malades encore capables de se déplacer avaient envahi comme une armée de vers le terrain durci par le gel. Ils avaient fouillé dans toutes les baraques vides, à la recherche de nourriture et de bois ; ils avaient violé avec une furie haineuse les chambres des Blockälteste grotesquement décorées et interdites la veille encore aux simples Häftlinge; incapables de maîtriser leurs viscères, ils avaient répandu des excréments partout, salissant la neige précieuse, devenue seule source d'eau pour le camp tout entier.

Attirés par les décombres fumants des baraques incendiées, des groupes de malades restaient collés au sol, pour en pomper un dernier reste de chaleur. D'autres avaient trouvé des pommes de terre quelque part et les faisaient rôtir sur les braises de l'incendie en jetant autour d'eux des regards féroces. Quelques-uns seulement avaient eu la force d'allumer un vrai feu, et faisaient fondre de la neige dans des récipients de fortune.

Nous nous dirigeâmes vers les cuisines le plus rapidement possible, mais les pommes de terre étaient déjà presque épuisées. Nous en remplîmes deux sacs que nous confiâmes à Arthur. Au milieu des ruines du Prominenzblock, Charles et moi découvrîmes finalement ce que nous cherchions : un gros poêle en fonte, muni de tuyaux encore utilisables; Charles accourut avec une brouette et nous y chargeâmes le poêle; puis, me laissant le soin de le transporter à la baraque, il courut s'occuper des sacs. Là, il trouva Arthur évanoui : le froid lui avait fait perdre connaissance. Charles transporta les deux sacs en lieu sûr, puis il prit soin de son ami.

Pendant ce temps, me tenant à grand-peine sur mes jambes, je m'efforçais de manœuvrer de mon mieux la lourde brouette. Tout à coup on entendit un bruit de moteur, et je vis un SS en motocyclette qui entrait dans le camp. Comme tous mes compagnons, à la vue de leurs visages durs, je fus envahi de terreur et de haine. Il était trop tard pour disparaître, et je ne voulais pas abandonner le poêle. D'après le règlement du Lager, j'étais censé me mettre au garde-à-vous et me découvrir. Je n'avais pas de chapeau et j'étais empêtré dans ma couverture. Je m'écartai de quelques pas de la brouette et fis une espèce de révérence maladroite. L'Allemand passa sans me voir, tourna à l'angle d'une baraque et disparut. Je sus plus tard quel danger j'avais couru.

J'atteignis enfin le seuil de notre baraque et déchargeai le poêle entre les mains de Charles. L'effort m'avait coupé le souffle, de grandes taches noires dansaient devant mes yeux.

Il s'agissait maintenant de le mettre en marche. Nous avions tous trois les mains paralysées, et la fonte glacée se collait à la peau de nos doigts, mais il fallait de toute urgence faire fonctionner le poêle pour nous réchauffer et faire bouillir les pommes de terre. Nous avions trouvé du bois et du charbon, et même des braises provenant des baraques carbonisées.

Lorsque la fenêtre défoncée fut réparée et que le poêle commença à réchauffer l'atmosphère, il se produisit en nous tous comme une sensation de détente, et c'est alors que Towarowski (un Franco-Polonais de vingt-trois ans qui avait le typhus) fit cette proposition aux autres malades :

pourquoi ne pas offrir chacun une tranche de pain aux trois travailleurs ? Ce fut aussitôt chose faite.

La veille encore, pareil événement eût été inconcevable. La loi du Lager disait : « mange ton pain, et si tu peux celui de ton voisin » ; elle ignorait la gratitude. C'était bien le signe que le Lager était mort.

Ce fut là le premier geste humain échangé entre nous. Et c'est avec ce geste, me semble-t-il, que naquit en nous le lent processus par lequel, nous qui n'étions pas morts, nous avons cessé d'être des Häftlinge pour apprendre à redevenir des hommes.

Arthur s'était assez bien remis, mais évita dès lors de s'exposer au froid ; il se chargea d'alimenter le poêle, de faire cuire les pommes de terre, de nettoyer la chambre et d'assister les malades. Charles et moi, nous nous partageâmes les corvées à l'extérieur. Nous avions encore une heure devant nous avant la tombée de la nuit : partis en expédition, nous revînmes avec un demilitre d'alcool à brûler et une boîte de levure de bière que quelqu'un avait jetée dans la neige. Nous distribuâmes les pommes de terre, et une cuillerée de levure de bière par personne. Je pensais vaguement que cela pouvait avoir un effet salutaire contre le manque de vitamines.

La nuit tomba ; notre chambre était la seule de tout le camp à avoir un poêle, et nous n'en étions pas peu fiers. Beaucoup de malades des autres services se bousculaient à notre porte, mais la carrure imposante de Charles les tenait à distance. Nous ne songions ni les uns ni les autres que le contact inévitable avec des malades contagieux rendait l'accès de notre chambre extrêmement dangereux, et qu'attraper la diphtérie dans les conditions où nous étions, c'était se vouer plus sûrement à la mort que de se jeter d'un troisième étage.

Moi-même, quoique conscient du danger, je ne m'en inquiétais guère : je m'étais habitué depuis trop longtemps à l'idée de mourir de maladie comme à une éventualité parmi d'autres, contre laquelle il n'y avait rien à faire. Et la pensée ne m'effleurait même pas que j'aurais pu aller m'installer dans une autre chambre ou dans une autre baraque où le risque de contagion eût été moindre ; c'était ici que nous avions installé, de nos propres mains, un poêle autour duquel nous étions tous bien au chaud, ici que j'avais mon lit ; ici que me retenait désormais le lien qui nous unissait, nous les onze malades de l'Infektionsabteilung.

On entendait, à intervalles très espacés, le fracas proche et lointain des échanges d'artillerie, et de temps en temps un crépitement de fusils automatiques. Dans l'obscurité, trouée seulement par le rougeoiement des braises, nous restions assis, Charles, Arthur et moi, à fumer des cigarettes d'herbes aromatiques trouvées aux cuisines, et à parler de bien des choses du passé et de l'avenir. Au milieu de l'immense plaine occupée par le gel et la guerre, dans cette petite chambre obscure remplie de germes, nous nous sentions en paix avec nous-mêmes et avec le monde. Nous étions rompus de fatigue, mais nous avions l'impression, après si longtemps, d'avoir finalement fait quelque chose d'utile; comme Dieu peut-être au soir du premier jour de la Création.

20 janvier. L'aube parut : j'étais de service pour allumer le poêle. En plus d'une faiblesse générale, mes articulations douloureuses me rappelaient à chaque instant que ma scarlatine était loin d'être guérie. L'idée de devoir me plonger dans l'air glacial pour aller chercher du feu dans les autres baraques me faisait trembler d'horreur.

Je me rappelai les pierres à briquet; j'imbibai d'alcool un morceau de papier, sur lequel je raclai patiemment une des pierres jusqu'à ce qu'elle eût formé un petit tas de poudre noire, puis je me mis à racler plus fort avec le couteau. Il y eut quelques étincelles, puis la poudre déflagra, faisant jaillir sur le papier la petite flamme pâle de l'alcool.

Arthur descendit de sa couchette avec enthousiasme et fit réchauffer des pommes de terre bouillies de la veille, à raison de trois par personne; après quoi, toujours affamés et frissonnants, nous repartîmes tous deux en éclaireurs dans le camp dévasté.

Il ne nous restait plus que deux jours de vivres (en l'occurrence des pommes de terre); pour l'eau, nous en étions réduits à faire fondre de la neige : l'opération était laborieuse car nous manquions de grands récipients; on obtenait un liquide trouble et noirâtre, qu'il fallait filtrer.

Le camp était silencieux. Nous croisions

d'autres spectres affamés, partis eux aussi en expédition, la barbe longue, les yeux caves, les membres squelettiques et jaunâtres flottant dans des guenilles. D'un pas mal assuré, ils entraient et sortaient, revenant des baraques désertes avec les objets les plus hétéroclites : haches, seaux, louches, clous ; tout pouvait servir, et les plus clairvoyants avaient déjà en vue de fructueux échanges avec les Polonais de la campagne avoisinante.

Aux cuisines, deux de ces créatures se disputaient les quelques dizaines de pommes de terre pourries encore disponibles. Agrippés l'un à l'autre par leurs vêtements en loques, ils se battaient avec des gestes curieusement lents et flous, proférant entre leurs lèvres gelées des injures en yiddish.

Il y avait dans la cour de l'entrepôt deux grands tas de choux et de navets (de ces gros navets insipides qui constituaient la base de notre alimentation). Ils étaient tellement gelés qu'on ne pouvait les détacher qu'à coups de pioche. En nous relayant et en frappant de toutes nos forces, nous réussîmes, Charles et moi, à en extraire une cinquantaine de kilos. Mais ce n'est pas tout : Charles dénicha un paquet de sel, et (« *une fameuse trouvaille* ») un bidon d'une cinquantaine de litres d'eau transformée en bloc de glace.

Nous chargeâmes le tout sur une charrette à bras (de celles qui servaient auparavant à apporter la soupe aux baraques : il y en avait un grand nombre abandonnées un peu partout), et nous rentrâmes en la poussant péniblement dans la neige.

Ce jour-là, nous nous contentâmes encore de pommes de terre bouillies et de tranches de navets grillées sur le poêle, mais Arthur nous promit pour le lendemain d'importantes innovations.

Dans l'après-midi, je me rendis à l'ex-dispensaire, à la recherche de quelque chose d'utile. On était déjà passé par là : tout avait été mis sens dessus dessous par des pillards inexperts. Pas une bouteille qui ne fût brisée ; sur le plancher, une épaisse couche de chiffons, d'excréments et de bandages ; un cadavre nu et convulsé. Mais je tombai sur quelque chose qui avait échappé à mes devanciers : une batterie de camion. J'en touchai les pôles avec mon couteau : il y eut une petite étincelle. La batterie était chargée.

Le soir, nous avions l'électricité dans notre chambre.

De mon lit, je voyais par la fenêtre un bon morceau de route : depuis trois jours déjà la Wehrmacht en fuite y défilait par vagues successives. Blindés, chars « tigres » camouflés en blanc, Allemands à cheval, Allemands à bicyclette, Allemands à pied, avec ou sans armes. Le fracas des chenilles résonnait dans la nuit bien avant l'apparition des tanks.

— *Ça roule encore ?* demandait Charles.

— *Ça roule toujours.*

Cela semblait ne jamais devoir finir.

21 janvier. Pourtant cela finit. A l'aube du 21, la plaine nous apparut déserte et rigide, blanche à perte de vue sous le vol des corbeaux, mortellement triste.

J'aurais presque préféré voir encore quelque chose bouger. Même les civils polonais avaient disparu, calfeutrés Dieu sait où. Même le vent semblait s'être arrêté. Je n'avais qu'un désir : rester au lit sous les couvertures, m'abandonner à la fatigue totale des muscles, des nerfs et de la volonté ; attendre que la fin vienne, ou qu'elle ne vienne pas, peu importait : comme un mort.

Mais déjà Charles avait allumé le poêle, l'homme Charles, si vivant, si confiant, si amical, et voilà qu'il m'appelait au travail :

— *Vas-y, Primo, descends-toi de là-haut ; il y a Jules à attraper par les oreilles...*

« Jules », c'était le seau hygiénique qu'il fallait chaque matin prendre par les poignées et aller vider dans la fosse d'aisances : notre première besogne de la journée ; et si on pense qu'il n'était pas possible de se laver les mains et que trois d'entre nous avaient le typhus, on comprendra que ce n'était pas un travail agréable.

Nous devions inaugurer les choux et les navets. Tandis que nous étions dehors, moi à chercher du bois, et Charles à ramasser de la neige pour l'eau, Arthur recruta parmi les malades qui pouvaient rester assis des volontaires pour la corvée d'épluchage. Towarowski, Sertelet, Alcalai et Schenk répondirent à l'appel.

Sertelet était lui aussi un paysan des Vosges ; il

avait vingt ans et paraissait en bonne forme, mais on remarquait dans sa voix de sinistres résonances nasales qui s'accentuaient de jour en jour, comme pour nous rappeler que la diphtérie pardonne rarement.

Alcalai venait de Toulouse; juif, vitrier de son métier, c'était un homme très calme et posé; il avait un érésipèle facial.

Schenk était un commerçant juif slovaque : relevant du typhus, il avait un formidable appétit; de même que Towarowski, juif franco-polonais, sot et bavard, mais dont l'optimisme communicatif était précieux pour notre communauté.

Ainsi donc, tandis que les malades maniaient le couteau, assis chacun sur sa couchette, Charles et moi nous nous lançâmes à la recherche d'un endroit possible pour faire la cuisine.

Une saleté indescriptible avait envahi toutes les parties du camp. Les latrines, que naturellement personne ne se souciait plus d'entretenir, étaient toutes bouchées, et les malades de dysenterie (plus d'une centaine) avaient souillé tous les coins du K.B., rempli tous les seaux, tous les bidons qui servaient pour la soupe, toutes les gamelles. On ne pouvait faire un pas sans regarder où on mettait les pieds; il était impossible de se déplacer dans le noir. En dépit du froid, qui était toujours intense, nous pensions avec horreur à ce qui arriverait en cas de dégel : les infections se propageraient sans recours possible, la puanteur deviendrait insupportable, et la neige une fois fondue, nous resterions définitivement privés d'eau.

Après de longues recherches, nous trouvâmes finalement, dans un local qui servait auparavant de lavabos, un bout de plancher à peu près acceptable. Nous y fîmes du feu, puis, pour gagner du temps et éviter les complications, nous nous désinfectâmes les mains en les frictionnant avec de la chloramine délayée dans de la neige.

Le bruit qu'il y avait quelque part une soupe sur le feu se répandit rapidement dans la foule des demi-vivants ; il se forma à notre porte un rassemblement de visages faméliques. Charles, brandissant la louche, leur tint en français un discours bref et énergique qui n'eut pas besoin de traduction.

La plupart se dispersèrent, mais l'un d'eux se fit connaître : c'était un Parisien, tailleur de luxe, disait-il, malade des poumons. En échange d'un litre de soupe, il se faisait fort de nous tailler des habits dans les nombreuses couvertures restées au camp.

Maxime fit preuve d'une adresse peu commune. Le lendemain, Charles et moi possédions chacun une veste, un pantalon et de gros gants de tissu rêche aux couleurs voyantes.

Le soir, après la soupe distribuée avec enthousiasme et dévorée avec avidité, le grand silence de la plaine fut brusquement rompu. De nos couchettes, trop fatigués pour être vraiment inquiets, nous tendions l'oreille aux détonations de mystérieuses artilleries qui semblaient tirer de tous les points de l'horizon, et aux sifflements des projectiles au-dessus de nous.

Moi, je me disais que dehors la vie était belle, qu'elle le serait encore, et que ce serait vraiment dommage de se laisser sombrer maintenant. J'éveillai ceux des malades qui somnolaient, et lorsque je fus certain qu'ils m'écoutaient tous, je leur dis, d'abord en français, puis dans mon meilleur allemand, que nous devions tous désormais ne plus penser qu'à rentrer chez nous, et que nous devions donc, dans la mesure de nos moyens, faire certaines choses, et éviter d'en faire d'autres. Chacun devait conserver soigneusement sa gamelle et sa cuillère ; si quelqu'un laissait de la soupe, il ne devait en aucun cas en offrir à son voisin ; personne ne devait descendre de sa couchette sauf pour aller au seau ; si quelqu'un avait besoin de quoi que ce soit, il n'avait qu'à s'adresser à l'un de nous trois, et à personne d'autre. Arthur en particulier était chargé de veiller à la discipline et à l'hygiène, et devait garder présent à l'esprit qu'il valait mieux laisser les gamelles et les cuillères sales, plutôt que les laver au risque d'échanger par erreur celles d'un diphtérique avec celles d'un malade atteint du typhus.

J'eus l'impression que les malades étaient désormais trop indifférents à toutes choses pour faire attention à ce que j'avais dit ; mais je comptais beaucoup sur l'efficacité d'Arthur.

22 janvier. Si c'est du courage que d'affronter le cœur léger un danger grave, ce matin-là Charles et moi nous fûmes courageux. Nous étendîmes nos explorations jusqu'au camp des SS, situé juste de l'autre côté des barbelés électrifiés.

Les gardes du camp avaient dû partir précipitamment. Nous trouvâmes sur les tables des assiettes à demi pleines de potage congelé que nous avalâmes avec une suprême jouissance, des chopes où la bière s'était transformée en glace jaunâtre ; sur un échiquier, une partie interrompue ; dans les chambres, quantité de choses précieuses.

Nous prîmes une bouteille de vodka, différents médicaments, des journaux et revues, et quatre magnifiques couvertures matelassées, dont l'une est encore chez moi à Turin. Joyeux et inconscients, nous rapportâmes ce butin dans notre petite chambre, le confiant aux bons soins d'Arthur. On ne sut que le soir ce qui s'était passé juste une demi-heure après.

Un petit groupe de SS probablement isolés mais armés avait pénétré dans le camp abandonné. Ayant trouvé dix-huit Français installés dans le réfectoire de la SS-Waffe, ils les avaient tous abattus, méthodiquement, d'un coup à la nuque, alignant ensuite les corps convulsés sur la neige du chemin avant de s'en aller. Les dix-huit cadavres restèrent exposés jusqu'à l'arrivée des Russes ; personne n'eut la force de leur donner une sépulture.

D'ailleurs, dans toutes les baraques désormais, certaines couchettes étaient occupées par des cadavres durs comme du bois, que personne ne prenait plus la peine d'enlever. La terre était trop gelée pour qu'on pût y creuser des fosses; de nombreux cadavres furent entassés dans une tranchée, mais dès les premiers jours l'amoncellement débordait du trou, et cet ignoble spectacle était visible de nos fenêtres.

Une mince cloison de bois nous séparait du service Dysenterie. Là on ne comptait plus les morts et les mourants. Le plancher était recouvert d'une couche d'excréments gelés. Personne n'avait plus la force de quitter ses couvertures pour chercher à se nourrir, et ceux même qui l'avaient fait n'étaient pas revenus porter secours à leurs camarades. Dans un même lit, étroitement enlacés pour mieux se protéger du froid, juste de l'autre côté de la cloison mitoyenne, il y avait deux Italiens: souvent, je les entendais parler, mais comme de mon côté je ne parlais qu'en français, ils n'avaient pas encore remarqué ma présence. Ce jour-là, par hasard, ils entendirent Charles prononcer mon prénom à l'italienne, et dès lors ils ne cessèrent plus de gémir et d'implorer.

Naturellement, à condition d'en avoir les moyens et la force, je ne demandais pas mieux que de les aider; ne fût-ce que pour ne plus entendre leurs cris obsédants. Le soir, une fois achevées toutes les tâches de la journée, surmontant ma fatigue et mon dégoût, je me traînai à tâtons jusqu'à eux, le long de l'immonde couloir obscur, avec une gamelle d'eau et les restes de la soupe du jour. Le résultat fut que dès ce moment-là, le service Dysenterie tout entier se mit à invoquer mon nom jour et nuit, avec les accents de toutes les langues d'Europe, accompagnant cette imploration de prières incompréhensibles qu'il m'était absolument impossible d'exaucer. Je me sentais au bord des larmes, je les aurais maudits.

La nuit nous réserva de mauvaises surprises.

Lakmaker, dont la couchette se trouvait au-dessous de la mienne, n'était plus qu'un pauvre débris humain. C'était (ou plutôt il avait été) un juif hollandais de dix-sept ans, grand, maigre, affable. Il était alité depuis trois mois et on se demande comment il avait échappé aux sélections. Il avait d'abord eu le typhus, puis la scarlatine ; entretemps nous avions décelé chez lui une grave malformation cardiaque, et pour finir il était couvert d'escarres au point de ne pouvoir rester allongé que sur le ventre. Avec tout ça, un appétit féroce. Il ne parlait que le hollandais, et aucun de nous ne le comprenait.

Ce fut peut-être à cause de la soupe aux choux et aux navets, dont Lakmaker avait voulu deux rations. Toujours est-il qu'au milieu de la nuit il se mit à gémir, puis se jeta à bas de son lit. Il tenta d'atteindre le seau, mais il était trop faible et s'écroula, pleurant et criant très fort.

Charles alluma la lumière (l'accumulateur se révéla providentiel) et nous pûmes constater la gravité de l'accident. La couchette de Lakmaker et le plancher étaient souillés. L'odeur, dans l'atmosphère confinée, devenait rapidement insupportable. Nous n'avions qu'une toute petite réserve d'eau et pas la moindre couverture ou paillasse de rechange. Et le malheureux garçon, avec son typhus, constituait un terrible foyer d'infection ; par ailleurs, il était hors de question de le laisser toute la nuit sur le plancher, à gémir et grelotter au milieu des excréments.

Charles descendit du lit et s'habilla en silence. Tandis que je tenais la lampe, il découpa au couteau tous les endroits sales de la paillasse et des couvertures ; puis, soulevant Lakmaker avec la délicatesse d'une mère, il le nettoya tant bien que mal avec de la paille tirée du matelas, et le déposa à bout de bras sur le lit refait, dans la seule position que le malheureux pût supporter. Il racla le plancher avec un bout de tôle, délaya un peu de chloramine, et répandit partout du désinfectant, y compris sur lui-même.

Je mesurais son abnégation à la fatigue qu'il m'aurait fallu vaincre pour faire ce qu'il faisait.

23 janvier. Notre réserve de pommes de terre était épuisée. Depuis plusieurs jours, le bruit courait qu'il y avait non loin du camp, quelque part de l'autre côté des barbelés, un énorme silo de pommes de terre.

Il faut croire que quelque pionnier méconnu avait fait de patientes recherches, ou que quelqu'un connaissait l'endroit avec précision, car le matin du 23 un tronçon de barbelés avait été arraché, et une double procession de misérables entrait et sortait par cette brèche.

Nous nous mîmes donc en route, Charles et

moi, dans le vent de la plaine livide. Nous dépassâmes la barrière abattue.

— *Dis donc, Primo, on est dehors !*

Eh bien oui ! pour la première fois depuis le jour de mon arrestation, je me trouvais libre, sans gardiens armés, sans barbelés entre ma maison et moi.

Les pommes de terre étaient là, à quatre cents mètres du camp peut-être : un trésor. Deux très longues fosses, pleines de pommes de terre recouvertes de couches alternées de terre et de paille pour les protéger du gel. Personne ne mourrait plus de faim.

Mais ce fut un rude labeur que leur extraction. Le gel avait rendu la surface du sol dure comme du marbre. En donnant de grands coups de pioche, on arrivait à entamer la croûte et à mettre à nu la réserve, mais la plupart préféraient se glisser dans les excavations faites par d'autres, et s'y enfoncer très profondément, pour passer ensuite les pommes de terre aux camarades qui attendaient dehors. Un vieil Hongrois avait été surpris là par la mort. Il gisait raidi dans la posture de l'affamé : la tête et les épaules sous le monticule de terre, le ventre dans la neige, il tendait les mains vers les pommes de terre. Mais quelqu'un après lui déplaça le corps d'un mètre et reprit le travail à travers l'ouverture ainsi dégagée.

Dès lors notre ordinaire s'améliora. En plus des pommes de terre bouillies et de la soupe de pommes de terre, nous offrîmes à nos malades des beignets de pommes de terre. C'était une recette d'Arthur : on racle les pommes de terre crues sur des pommes de terre bouillies et légèrement écrasées ; puis on fait rôtir le tout sur une plaque de tôle chauffée à blanc. Ces beignets avaient un goût de suie.

Mais Sertelet ne put en profiter, car son mal empirait. Non seulement sa voix s'était faite de plus en plus nasale, mais ce jour-là il ne réussit plus à avaler le moindre aliment : quelque chose s'était détérioré dans sa gorge, chaque bouchée menaçait de l'étouffer.

J'allai chercher un médecin hongrois resté en tant que malade dans la baraque d'en face. A peine eut-il entendu prononcer le mot de diphtérie qu'il recula de trois pas et m'enjoignit de sortir.

A titre de simple réconfort moral, je fis à tout le monde des instillations nasales d'huile camphrée. J'assurai à Sertelet que cela lui ferait du bien et tâchai moi-même de m'en convaincre.

24 janvier. La liberté. La brèche dans les barbelés nous en donnait l'image concrète. A bien y réfléchir, cela voulait dire plus d'Allemands, plus de sélections, plus de travail, ni de coups, ni d'appels, et peut-être, après, le retour.

Mais il fallait faire un effort pour s'en convaincre, et personne n'avait le temps de se réjouir à cette idée. Autour de nous, tout n'était que mort et destruction.

Face à notre fenêtre, les cadavres s'amoncelaient désormais au-dessus de la fosse. En dépit des pommes de terre, nous étions tous dans un état d'extrême faiblesse : dans le camp, aucun malade ne guérissait, et plus d'un au contraire attrapait une pneumonie ou la diarrhée ; ceux qui n'étaient pas en état de bouger, ou qui n'en avaient pas l'énergie, restaient étendus sur leurs couchettes, engourdis et rigides de froid, et quand ils mouraient, personne ne s'en apercevait.

Les autres étaient tous effroyablement affaiblis : après des mois et des années de Lager, ce ne sont pas des pommes de terre qui peuvent rendre des forces à un homme. Lorsque, après avoir préparé la soupe, nous avions fini de traîner les vingt-cinq litres de ration quotidienne des lavabos à la chambre, nous devions, Charles et moi, nous jeter sur nos couchettes, haletants, tandis qu'Arthur, avec les gestes sûrs de la bonne ménagère, procédait à la distribution de la soupe, veillant à mettre de côté les trois rations de « *rabiot pour les travailleurs* » et un peu de fond de marmite « *pour les Italiens d'à côté* ».

Dans la seconde chambre des Infectieux, elle aussi contiguë à la nôtre, et occupée en majorité par des tuberculeux, la situation était bien différente. Tous ceux qui avaient pu le faire étaient allés s'installer dans d'autres baraques. Les camarades les plus gravement atteints et les plus faibles s'éteignaient un à un dans la solitude.

J'étais entré là un matin pour me faire prêter une aiguille. Un malade râlait dans une des couchettes supérieures. Il m'entendit, se dressa sur son séant, puis s'affaissa d'un coup, le buste hors du lit, penché vers moi, les bras raides et les yeux blancs. Celui de la couchette inférieure tendit automatiquement les bras pour retenir ce corps, et s'aperçut alors que l'homme était mort. Il céda lentement sous le poids, l'autre glissa sur le sol et y resta. Personne ne savait son nom.

Mais dans la baraque 14, il y avait du nouveau. C'était la baraque des opérés, dont certains étaient en assez bonne santé. Ils organisèrent une expédition au camp des prisonniers de guerre anglais, qu'on supposait avoir été évacué. Ce fut une entreprise fructueuse. Ils revinrent habillés en kaki, avec une charrette pleine de merveilles insoupçonnées : de la margarine, du concentré pour flans, du lard, de la farine de soja, de l'eau-de-vie.

Le soir, dans la baraque 14, on chantait.

Aucun de nous ne se sentait la force de faire les deux kilomètres qui nous séparaient du camp anglais et d'en revenir ensuite pesamment chargé. Mais, indirectement, l'heureuse expédition s'avéra une bonne affaire pour beaucoup d'entre nous. L'inégale répartition des biens provoqua un regain du commerce et de l'industrie. Dans notre petite chambre infestée de maladies naquit une fabrique de bougies, pourvues de mèches imbibées d'acide borique et coulées dans des moules en carton. Les riches de la baraque 14 écoulaient la totalité de notre production, nous payant avec du lard et de la farine.

C'était moi qui avais trouvé le bloc de cire vierge dans l'Elektromagazin (l'entrepôt de matériel électrique). Je me rappelle encore l'expression désappointée de ceux qui me virent partir avec, et du dialogue qui s'ensuivit :

— Qu'est-ce que tu vas en faire ?

Ce n'était pas le moment de divulguer un secret de fabrication. Je m'entendis prononcer mot pour mot la réponse que j'avais si souvent entendue dans la bouche des anciens du camp, et où s'exprime leur principal titre de gloire : leur qualité de « bons prisonniers », de débrouillards qui savent toujours se tirer d'affaire :

— Ich verstehe verschiedene Sachen... (Je m'y connais en pas mal de choses...)

25 janvier. Ce fut le tour de Somogyi. C'était un chimiste hongrois d'une cinquantaine d'années, grand, maigre et taciturne. Comme le Hollandais, il se remettait lentement du typhus et de la scarlatine ; mais il se produisit quelque chose de nouveau. Il fut pris d'une très forte fièvre. Depuis cinq jours peut-être, il n'avait pas prononcé un mot ; quand il ouvrit la bouche ce jour-là, ce fut pour nous dire d'une voix ferme :

— J'ai une ration de pain sous ma paillasse. Partagez-la entre vous trois. Moi, je ne mangerai plus.

Nous ne trouvâmes rien à répondre, mais ne touchâmes pas au pain dans l'immédiat. Toute une moitié de son visage avait enflé. Tant qu'il fut conscient, il resta enfermé dans un silence obstiné.

Mais le soir, et toute la nuit, et pendant deux longs jours, le délire eut raison de son silence.

Livré à un ultime et interminable rêve de soumission et d'esclavage, il se mit à murmurer « Jawohl » chaque fois qu'il respirait, au rythme continu et régulier d'une machine ; « Jawohl » à chaque fois que sa pauvre cage thoracique s'abaissait, « Jawohl » des milliers de fois, à nous faire venir l'envie de le secouer, de l'étouffer, ou au moins de l'obliger à dire autre chose.

Jamais comme alors je n'ai compris combien la mort d'un homme est laborieuse.

Dehors, c'était toujours le grand silence. Le nombre des corbeaux avait beaucoup augmenté, et nous savions tous pourquoi. Le dialogue de l'artillerie ne revenait plus que de loin en loin.

Nous nous répétions l'un l'autre que les Russes n'allaient pas tarder à arriver, qu'ils seraient là demain ; tout le monde le proclamait bien haut, tout le monde en était sûr, mais personne ne parvenait à se pénétrer sereinement de cette idée. Car, au Lager, on perd l'habitude d'espérer, et on en vient même à douter de son propre jugement. Au Lager, l'usage de la pensée est inutile, puisque les événements se déroulent le plus souvent de manière imprévisible ; il est néfaste, puisqu'il entretient en nous cette sensibilité génératrice de douleur, qu'une loi naturelle d'origine providentielle se charge d'émousser lorsque les souffrances dépassent une certaine limite.

Comme on se lasse de la joie, de la peur, et de la douleur elle-même, on se lasse aussi de l'attente. Arrivés le 25 janvier, huit jours après la rupture avec le monde féroce du Lager — qui n'en restait pas moins un monde —, nous étions pour la plupart trop épuisés même pour attendre.

Le soir, autour du poêle, encore une fois Charles, Arthur et moi, nous nous sentîmes redevenir hommes. Nous pouvions parler de tout. J'écoutais avec passion Arthur qui racontait les dimanches de Provenchères dans les Vosges, et Charles pleurait presque quand j'évoquai l'armistice en Italie, les débuts troubles et désespérés de la résistance des Partisans, l'homme qui nous avait trahis et notre capture dans les montagnes.

Dans le noir, derrière nous et au-dessus de nous, les huit malades ne perdaient pas un mot de notre conversation, même ceux qui ne comprenaient pas le français. Seul Somogyi s'acharnait à confirmer sa dédition à la mort.

26 janvier. Nous appartenions à un monde de morts et de larves. La dernière trace de civilisation avait disparu autour de nous et en nous. L'œuvre entreprise par les Allemands triomphants avait été portée à terme par les Allemands vaincus : ils avaient bel et bien fait de nous des bêtes.

Celui qui tue est un homme, celui qui commet ou subit une injustice est un homme. Mais celui qui se laisse aller au point de partager son lit avec un cadavre, celui-là n'est pas un homme. Celui qui a attendu que son voisin finisse de mourir pour lui prendre un quart de pain, est, même s'il n'est pas fautif, plus éloigné du modèle de l'homme pensant que le plus fruste des Pygmées et le plus abominable des sadiques.

Le sentiment de notre existence dépend pour une bonne part du regard que les autres portent sur nous : aussi peut-on qualifier de non humaine l'expérience de qui a vécu des jours où l'homme a été un objet aux yeux de l'homme. Et si nous nous en sommes sortis tous trois à peu près indemnes, nous devons nous en être mutuellement reconnaissants ; et c'est pour cela que mon amitié avec Charles résistera au temps.

Mais à des milliers de mètres au-dessus de nous, dans les trouées des nuages gris, se déroulaient les miracles compliqués des duels aériens. Au-dessus de nous, qui étions nus, impuissants, désarmés, des hommes de notre temps cherchaient à se donner réciproquement la mort par les moyens les plus raffinés. Un seul geste de leur main pouvait provoquer la destruction du camp tout entier et anéantir des milliers d'hommes ; alors que toutes nos énergies, toutes nos volontés mises ensemble n'auraient pas suffi à prolonger d'une seule minute la Vie d'un seul d'entre nous.

La sarabande cessa avec la nuit, et la chambre s'emplit à nouveau du monologue de Somogyi.

Dans le noir, je m'éveillai en sursaut. « *L' pauv' vieux* » se taisait : c'en était fini pour lui. Un ultime sursaut de vie l'avait jeté à bas de sa couchette : j'avais entendu le choc de ses genoux, de ses hanches, de ses épaules et de sa tête.

— *La mort l'a chassé de son lit,* fut le mot d'Arthur.

Nous ne pouvions évidemment pas le transporter dehors en pleine nuit. Il ne nous restait plus qu'à nous rendormir.

27 janvier. L'aube. Sur le plancher, l'ignoble tumulte de membres raidis, la chose Somogyi.

Il y a plus urgent à faire : on ne peut pas se laver, avant de le toucher il faut d'abord faire la cuisine et manger. Et puis « *rien de si dégoûtant que les débordements* », comme dit fort justement Arthur : il faut vider le seau. Les vivants sont plus exigeants ; les morts peuvent attendre. Nous nous mîmes au travail comme les autres jours.

Les Russes arrivèrent alors que Charles et moi étions en train de transporter Somogyi à quelque distance de là. Il était très léger. Nous renversâmes le brancard sur la neige grise.

Charles ôta son calot. Je regrettai de ne pas en avoir un.

Des onze malades de l'Infektionsabteilung, Somogyi fut le seul à mourir pendant ces dix jours. Dorget (je n'ai pas encore parlé de lui jusqu'ici : c'était un industriel français qui avait attrapé une diphtérie nasale après avoir été opéré d'une péritonite), Sertelet, Cagnolati, Towarowski et Lakmaker sont morts quelques semaines plus tard à l'infirmerie russe provisoire d'Auschwitz. En avril, à Katowice, j'ai rencontré Schenk et Alcalai, tous deux en bonne santé. Arthur est retourné chez lui à bon port; quant à Charles, il a repris sa profession d'instituteur; nous avons échangé de longues lettres et j'espère bien le revoir un jour.

Avigliana-Turin, décembre 1945-janvier 1947.

APPENDICE

J'ai écrit cet appendice en 1976, pour l'édition scolaire de *Si c'est un homme,* afin de répondre aux questions qui me sont continuellement posées par les lycéens. Mais comme ces questions coïncident dans une large mesure avec celles que me posent les lecteurs adultes, il m'a paru opportun d'inclure à nouveau dans cette édition le texte intégral de mes réponses.

On a écrit par le passé que les livres, comme les êtres humains, ont eux aussi leur destin, imprévisible et différent de celui que l'on attendait et souhaitait pour eux. Ce livre a connu un étrange destin. Sa naissance remonte à l'époque lointaine, évoquée à la p. 151 de cette édition, où l'on peut lire que « j'écris ce que je ne pourrais dire à personne ». Le besoin de raconter était en nous si pressant que ce livre, j'avais commencé à l'écrire là-bas, dans ce laboratoire allemand, au milieu du gel, de la guerre et des regards indiscrets, et tout en sachant bien que je ne pourrais pas conserver ces notes griffonnées à la dérobée, qu'il me faudrait les jeter aussitôt car elles m'auraient coûté la vie si on les avait trouvées sur moi.

Mais j'ai écrit ce livre dès que je suis revenu et en l'espace de quelques mois, tant j'étais travaillé par ces souvenirs. Refusé par quelques éditeurs importants, le manuscrit fut finalement accepté en 1947 par la petite maison d'édition que dirigeait Franco Antonicelli : il fut tiré à 2 500 exemplaires, puis la maison ferma et le livre tomba dans l'oubli, peut-être aussi parce que en cette dure période d'après-guerre les gens ne tenaient pas beaucoup à revivre les années douloureuses qui venaient de s'achever. Le livre n'a pris un nouveau départ qu'en 1958, lorsqu'il a été réédité chez Einaudi, et dès lors l'intérêt du public ne s'est jamais démenti. Il a été traduit en six langues et adapté à la radio et au théâtre.

Les enseignants et les élèves l'ont accueilli avec une faveur qui a dépassé de beaucoup l'attente de l'éditeur et la mienne. Des centaines de lycéens de toutes les régions d'Italie m'ont invité à commenter mon livre par écrit, ou, si possible, en personne ; dans les limites de mes obligations, j'ai répondu à toutes ces demandes, tant et si bien qu'à mes deux métiers [1] j'ai dû bien volontiers en ajouter un troisième : celui de présentateur commentateur de moi-même, ou plutôt de cet autre et lointain moi-même qui avait vécu l'épisode d'Auschwitz et l'avait raconté. Au cours de ces multiples rencontres avec mes jeunes lecteurs, je me suis trouvé en devoir de répondre à de nombreuses questions : naïves ou intentionnelles, émues ou provocatrices, superficielles ou fondamentales. Mais je me suis vite aperçu que quelques-unes de ces questions revenaient constamment, qu'on ne manquait jamais de me les poser : elles devaient donc être dictées par une curiosité motivée et raisonnée, à laquelle, en quelque sorte, la lettre de ce livre n'apportait pas de réponse satisfaisante. C'est à ces questions que je me propose de répondre ici.

1. *Dans votre livre, on ne trouve pas trace de haine à l'égard des Allemands ni même de rancœur ou de désir de vengeance. Leur avez-vous pardonné ?*

1. Chimiste et écrivain.

La haine est assez étrangère à mon tempérament. Elle me paraît un sentiment bestial et grossier, et, dans la mesure du possible, je préfère que mes pensées et mes actes soient inspirés par la raison; c'est pourquoi je n'ai jamais, pour ma part, cultivé la haine comme désir primaire de revanche, de souffrance infligée à un ennemi véritable ou supposé, de vengeance particulière. Je dois ajouter, à en juger par ce que je vois, que la haine est personnelle, dirigée contre une personne, un visage; or, comme on peut voir dans les pages mêmes de ce livre, nos persécuteurs n'avaient pas de nom, ils n'avaient pas de visage, ils étaient lointains, invisibles, inaccessibles. Prudemment, le système nazi faisait en sorte que les contacts directs entre les esclaves et les maîtres fussent réduits au minimum. Vous aurez sans doute remarqué que le livre ne mentionne qu'une seule rencontre de l'auteur-protagoniste avec un SS — p. 243-244 —, et ce n'est pas un hasard si elle a lieu dans les tout derniers jours du Lager, alors que celui-ci est en voie de désagrégation et que le système concentrationnaire ne fonctionne plus.

D'ailleurs, à l'époque où ce livre a été écrit, c'est-à-dire en 1946, le nazisme et le fascisme semblaient véritablement ne plus avoir de visage; on aurait dit — et cela paraissait juste et mérité — qu'ils étaient retournés au néant, qu'ils s'étaient évanouis comme un songe monstrueux, comme les fantômes qui disparaissent au chant du coq. Comment aurais-je pu éprouver de la rancœur envers une armée de fantômes, et vouloir me venger d'eux?

Dès les années qui suivirent, l'Europe et l'Italie s'apercevaient que ce n'étaient là qu'illusion et naïveté : le fascisme était loin d'être mort, il n'était que caché, enkysté ; il était en train de faire sa mue pour réapparaître ensuite sous de nouveaux dehors, un peu moins reconnaissable, un peu plus respectable, mieux adapté à ce monde nouveau, né de la catastrophe de la Seconde Guerre mondiale que le fascisme avait lui-même provoquée. Je dois avouer que face à certains visages, à certains vieux mensonges, aux manœuvres de certains individus en mal de respectabilité, à certaines indulgences et connivences, la tentation de la haine se fait sentir en moi, et même violemment. Mais je ne suis pas un fasciste, je crois dans la raison et dans la discussion comme instruments suprêmes de progrès, et le désir de justice l'emporte en moi sur la haine. C'est bien pourquoi, lorsque j'ai écrit ce livre, j'ai délibérément recouru au langage sobre et posé du témoin plutôt qu'au pathétique de la victime ou à la véhémence du vengeur : je pensais que mes paroles seraient d'autant plus crédibles qu'elles apparaîtraient plus objectives et dépassionnées ; c'est dans ces conditions seulement qu'un témoin appelé à déposer en justice remplit sa mission, qui est de préparer le terrain aux juges. Et les juges, c'est vous.

Toutefois, je ne voudrais pas qu'on prenne cette absence de jugement explicite de ma part pour un pardon indiscriminé. Non, je n'ai pardonné à aucun des coupables, et jamais, ni maintenant ni dans l'avenir, je ne leur pardonnerai, à moins qu'il ne s'agisse de quelqu'un qui ait prouvé — faits à l'appui, et pas avec des mots, ou trop tard — qu'il est aujourd'hui conscient des fautes et des erreurs du fascisme, chez nous et à l'étranger, et qu'il est résolu à les condamner et à les extirper de sa propre conscience et de celle des autres. Dans ce cas-là alors, oui, bien que non chrétien, je suis prêt à pardonner, à suivre le précepte juif et chrétien qui engage à pardonner à son ennemi ; mais un ennemi qui se repent n'est plus un ennemi.

2. *Est-ce que les Allemands, est-ce que les Alliés savaient ce qui se passait ? Comment est-il possible qu'un tel génocide, que l'extermination de millions d'êtres humains ait pu se perpétrer au cœur de l'Europe sans que personne n'en ait rien su ?*

Le monde dans lequel nous vivons aujourd'hui, nous Occidentaux, présente un grand nombre de défauts et de dangers dont nous sentons la gravité, mais en comparaison du monde d'hier, il bénéficie d'un énorme avantage : n'importe qui peut savoir tout sur tout. L'information est aujourd'hui « le quatrième pouvoir » ; au moins en théorie, un reporter et un journaliste peuvent aller partout, personne ne peut les en empêcher, ni les tenir à l'écart, ni les faire taire. Tout est facile : si vous en avez envie, vous pouvez écouter la radio de votre propre pays ou de n'importe quel autre ; vous allez au kiosque du coin et vous choisissez le journal que vous voulez, un journal italien de n'importe quelle tendance aussi bien qu'un journal américain ou soviétique. Le choix est vaste ; vous achetez et vous lisez les livres que vous voulez, sans risquer d'être accusés d'« activités anti-italiennes » ou de vous attirer à domicile une perquisition de la police politique. Certes, il n'est pas facile d'échapper à *tous* les conditionnements, mais du moins peut-on choisir le conditionnement que l'on préfère.

Dans un État autoritaire, il en va tout autrement : il n'y a qu'une Vérité, celle qui est proclamée d'en haut ; les journaux se ressemblent tous, ils répètent tous une même et unique vérité; même situation pour la radio, et vous ne pouvez pas écouter les radios étrangères, d'abord parce que c'est considéré comme un délit et que vous risquez la prison, et ensuite parce que la radio officielle fait intervenir un système de brouillage qui opère sur les longueurs d'onde des radios étrangères et rend leurs émissions inaudibles. Quant aux livres, ne sont traduits et publiés que ceux qui plaisent aux autorités; les autres, il vous faut aller les chercher à l'étranger et les introduire dans votre pays à vos risques et périls, car ils sont considérés comme plus dangereux que de la drogue ou des explosifs; et si on en trouve sur vous au passage de la frontière, on les saisit et vous êtes punis pour infraction à la loi. Les livres interdits — nouveaux ou anciens —, on en fait de grands feux de joie sur les places publiques. C'est ce qui s'est fait en Italie entre 1924 et 1945, et dans l'Allemagne national-socialiste; c'est ce qui se fait aujourd'hui encore dans de nombreux pays, parmi lesquels on regrette de devoir compter l'Union Soviétique, qui a pourtant combattu héroïquement le nazisme. Dans les États autoritaires, on a le droit d'altérer la vérité, de réécrire l'histoire rétrospectivement, de déformer les nouvelles, d'en supprimer de vraies, d'en ajouter de fausses : bref, de remplacer l'information par la propagande. Et en effet, dans de tels pays, il n'y a plus de citoyens détenteurs de droits, mais bien des sujets qui, comme tels, se doivent de témoigner à l'État (et au dictateur qui l'incarne) une loyauté fanatique et une obéissance passive.

Dans ces conditions il devient évidemment possible (même si ce n'est pas toujours facile : il n'est jamais aisé de faire totalement violence à la nature humaine) d'occulter des pans entiers de la réalité. L'Italie fasciste n'a pas eu grand mal à faire assassiner Matteoti et à étouffer l'affaire en quelques mois ; quant à Hitler et à son ministre de la Propagande Josef Goebbels, ils se révélèrent bien supérieurs encore à Mussolini dans l'art de contrôler et de camoufler la vérité.

Toutefois, il n'était ni possible ni même souhaitable — du point de vue nazi — de cacher au peuple allemand l'existence d'un appareil aussi énorme que celui des camps de concentration. Il entrait précisément dans les vues des nazis de créer et d'entretenir dans le pays un climat de terreur diffuse : il était bon que la population sût qu'il était très dangereux de s'opposer à Hitler. Et en effet des centaines de milliers d'Allemands — communistes, sociaux-démocrates, libéraux, juifs, protestants, catholiques — furent enfermés dans les Lager dès les premiers mois du nazisme, et tout le pays le savait, comme on savait aussi qu'au Lager les prisonniers souffraient et mouraient.

Cela étant, il est vrai que la grande majorité des Allemands ignora toujours les détails les plus horribles de ce qui se passa plus tard dans les Lager : l'extermination méthodique et industrialisée de millions d'êtres humains, les chambres à gaz, les fours crématoires, l'exploitation abjecte des cadavres, tout cela devait rester caché et le resta effectivement pendant toute la durée de la guerre, sauf pour un nombre restreint d'individus. Pour garder le secret, entre autres précautions, on recourait dans le langage officiel à de prudents et cyniques euphémismes : au lieu d'« extermination » on écrivait « solution définitive », au lieu de « déportation » « transfert », au lieu de « mort par gaz » « traitement spécial » et ainsi de suite. Hitler redoutait non sans raison que la révélation de ces horreurs n'ébranlât la confiance aveugle que le pays avait en lui, et le moral des troupes alors en guerre ; de plus, les Alliés n'auraient pas tardé à en être eux aussi informés et à en tirer parti pour leur propagande, ce qui d'ailleurs ne manqua pas de se produire. Mais à cause de leur énormité même, les horreurs du Lager, maintes fois dénoncées par les radios alliées, se heurtèrent le plus souvent à l'incrédulité générale.

A mon sens, l'aperçu le plus convaincant de la situation des Allemands à cette époque-là se trouve dans *l'État SS*[1], ouvrage d'Eugen Kogon, ancien déporté à Buchenwald et professeur de Sciences Politiques à l'université de Munich :

« Que savaient donc les Allemands au sujet des camps de concentration ? Mis à part leur existence concrète, presque rien, et aujourd'hui encore ils n'en savent pas grand-chose. Incontestablement, la méthode qui consistait à garder rigoureusement secrets les détails du terrible système de terreur — créant ainsi une angoisse indéterminée, et donc d'autant plus profonde — s'est révélée efficace. Comme je l'ai déjà dit, même à l'intérieur de la Gestapo, de nombreux fonctionnaires ignoraient ce qui se passait à l'intérieur des Lager, même s'ils y envoyaient leurs propres prisonniers. La plupart des prisonniers eux-mêmes n'avaient qu'une très vague idée du fonctionnement de leur camp et des méthodes qu'on y pratiquait. Comment, dans ces conditions, le peuple allemand aurait-il pu les connaître ? Ceux qui entraient au Lager se trouvaient plongés dans un univers abyssal totalement nouveau pour eux : c'est là la meilleure preuve du pouvoir et de l'efficacité du secret.

1. Éditions du Seuil.

« Et pourtant... et pourtant il n'y avait pas un seul Allemand qui ne connût l'existence des camps de concentration ou qui crût que c'étaient des sanatoriums. Rares étaient ceux qui n'avaient pas un parent ou une connaissance dans un Lager, ou qui du moins n'avaient pas entendu dire que telle ou telle personne y avait été internée. Tous les Allemands avaient été témoins de la barbarie antisémite, sous quelque forme qu'elle se fût manifestée : des millions d'entre eux avaient assisté avec indifférence, curiosité ou indignation, ou même avec une joie maligne, à l'incendie des synagogues, ou à l'humiliation de juifs et de juives contraints de s'agenouiller dans la boue des rues. De nombreux Allemands avaient eu vent de ce qui se passait par les radios étrangères, et beaucoup étaient en contact avec des prisonniers qui travaillaient à l'extérieur des camps. Rares étaient ceux qui n'avaient pas rencontré, dans les rues ou dans les gares, quelque misérable troupe de détenus : dans une circulaire en date du 9 novembre 1941 adressée par le chef de la Police et des Services de la Sûreté à tous [...] les bureaux de Police et aux commandants des Lager, on lit ceci : "Il a été notamment constaté que durant les transferts à pied, par exemple de la gare au camp, un nombre non négligeable de prisonniers tombent morts en cours de route ou s'évanouissent d'épuisement... Il est impossible d'empêcher la population de connaître de tels faits." Pas un Allemand ne pouvait ignorer que les prisons étaient archipleines et que les exécutions capitales allaient bon train dans tout le pays. Des milliers de magistrats, de fonctionnaires de police, d'avocats, de prêtres, d'assistants sociaux savaient d'une manière générale que la situation était extrêmement grave. Nombreux étaient les hommes d'affaires qui étaient en relations commerciales avec les SS des Lager, et les industriels qui présentaient des demandes à l'administration SS pour embaucher des travailleurs-esclaves; de même, les employés des bureaux d'embauche étaient au courant du fait que beaucoup de grandes sociétés exploitaient une main-d'œuvre esclave. Quantité de travailleurs exerçaient leur activité à proximité des camps ou même à l'intérieur de ceux-ci. Il y avait des professeurs universitaires qui collaboraient avec les centres de recherche médicale créés par Himmler, et des médecins d'État ou d'instituts privés qui collaboraient, eux, avec des assassins professionnels. Les membres de l'aviation militaire qui avaient été mis sous les ordres des SS étaient nécessairement au courant de ce qui se passait dans les camps. Beaucoup d'officiers supérieurs de l'armée connaissaient les massacres en masse de prisonniers russes perpétrés dans les Lager, et de très nombreux soldats et membres de la police militaire devaient avoir une connaissance précise des épouvantables horreurs commises dans les camps, dans les ghettos, dans les villes et dans les campagnes des territoires occupés à l'Est. Une seule de ces affirmations est-elle fausse ? »

A mon avis, aucune de ces affirmations n'est fausse, mais il faut en ajouter une autre pour compléter le tableau : si, en dépit des différentes sources d'information dont ils disposaient, la majorité des Allemands ne savait pas ce qui se passait, c'est parce qu'ils ne voulaient pas savoir, ou plutôt parce qu'ils voulaient ne rien savoir. Il est vrai sans aucun doute que le terrorisme d'État est une arme très puissante, à laquelle il est bien difficile de résister; mais il est également vrai que le peuple allemand, dans son ensemble, n'a pas même tenté de résister. Dans l'Allemagne hitlérienne, les règles du savoir-vivre étaient d'un genre tout particulier : ceux qui savaient ne parlaient pas, ceux qui ne savaient pas ne posaient pas de questions, ceux qui posaient des questions n'obtenaient pas de réponse. C'était de cette façon que le citoyen allemand type conquérait et défendait son ignorance, ignorance qui lui apparaissait comme une justification suffisante de son adhésion au nazisme : en se fermant la bouche et les yeux, en se bouchant les oreilles, il cultivait l'illusion qu'il ne savait rien, et qu'il n'était donc pas complice de ce qui se passait devant sa porte.

Savoir, et faire savoir autour de soi était pourtant un moyen — pas si dangereux, au fond — de prendre ses distances vis-à-vis du nazisme ; je pense que le peuple allemand, dans son ensemble, n'y a pas eu recours, et je le considère pleinement coupable de cette omission délibérée.

3. *Y avait-il des prisonniers qui s'évadaient des Lager ? Comment se fait-il qu'il n'y ait pas eu de rébellions en masse ?*

Ces questions figurent parmi celles qui me sont posées le plus fréquemment, et j'en déduis qu'elles doivent correspondre à quelque curiosité ou exigence particulièrement importante. Elles m'incitent à l'optimisme, car elles témoignent que les jeunes d'aujourd'hui ressentent la liberté comme un bien inaliénable, et que pour eux l'idée de prison est immédiatement liée à celle d'évasion ou de révolte. Du reste, il est vrai que dans différents pays le code militaire fait un devoir au prisonnier de guerre de chercher à se libérer par tous les moyens pour rejoindre son poste de combat, et que selon la Convention de La Haye la tentative d'évasion ne doit pas être punie. L'évasion comme obligation morale constitue un des thèmes récurrents de la littérature romantique (souvenez-vous du comte de Monte-Cristo), de la littérature populaire et du cinéma, où le héros, injustement — ou même justement — emprisonné, tente toujours de s'évader, même dans les circonstances les plus invraisemblables, et voit son entreprise invariablement couronnée de succès.

Peut-être est-il bon que la condition de prisonnier, la privation de la liberté, soit ressentie comme une situation indue, anormale : comme une maladie, en somme, dont on ne peut guérir que par la fuite ou par la révolte. Mais malheureusement ce tableau général est loin de ressembler au cadre réel des camps de concentration.

Les tentatives de fuite parmi les prisonniers d'Auschwitz, par exemple, s'élèvent à quelques centaines, et les évasions réussies à quelques dizaines. S'évader était difficile et extrêmement dangereux : en plus du fait qu'ils étaient démoralisés, les prisonniers étaient physiquement affaiblis par la faim et les mauvais traitements, ils avaient le crâne rasé, portaient un uniforme rayé immédiatement reconnaissable et des sabots de bois qui leur interdisaient de marcher vite et sans faire de bruit ; ils n'avaient pas d'argent, ne parlaient généralement pas le polonais qui était la langue locale, n'avaient pas de contacts dans la région et manquaient même d'une simple connaissance géographique des lieux. De plus, les tentatives d'évasion entraînaient des représailles féroces : celui qui se faisait prendre était pendu publiquement sur la place de l'Appel, souvent après d'atroces tortures ; lorsqu'une évasion était découverte, les amis de l'évadé étaient considérés comme ses complices et condamnés à mourir de faim dans les cellules de la prison ; tous les hommes de sa baraque devaient rester debout pendant vingt-quatre heures et parfois les parents mêmes du « coupable » étaient arrêtés et déportés.

Les soldats SS qui tuaient un prisonnier au cours d'une tentative d'évasion se voyaient gratifier d'une permission exceptionnelle. Si bien qu'il arrivait souvent qu'un SS abatte un détenu qui n'avait aucune intention de s'enfuir, dans le seul but d'obtenir la permission. D'où une augmentation artificielle du nombre des tentatives d'évasion figurant dans les statistiques officielles ; comme je l'ai déjà dit, le nombre effectif était en réalité très réduit. Dans de telles conditions, les rares cas d'évasion réussis, à Auschwitz par exemple, se limitent à quelques prisonniers « aryens » (c'est-à-dire non juifs dans la terminologie de l'époque), qui habitaient à peu de distance du Lager et avaient par conséquent un endroit où aller et l'assurance d'être protégés par la population. Dans les autres camps, les choses se passèrent de façon analogue.

Quant au fait qu'il n'y ait pas eu de révoltes, la question est un peu différente. Tout d'abord il convient de rappeler que des insurrections ont effectivement eu lieu dans certains Lager : à Treblinka, à Sobibor, et aussi à Birkenau, un des camps dépendant d'Auschwitz. Ces insurrections n'eurent pas une grande importance numérique : tout comme celle du ghetto de Varsovie, elles constituent plutôt d'extraordinaires exemples de force morale. Elles furent toutes organisées et dirigées par des prisonniers qui jouissaient d'une manière ou d'une autre d'un statut privilégié, et qui se trouvaient donc dans de meilleures conditions physiques et morales que les prisonniers ordinaires.

Cela n'a rien de surprenant : le fait que ce soit ceux qui souffrent le moins qui se révoltent n'est un paradoxe qu'en apparence. En dehors même du Lager, on peut dire que les luttes sont rarement menées par le sous-prolétariat. Les « loques » ne se révoltent pas.

Dans les camps de prisonniers politiques ou dans ceux où les prisonniers politiques étaient les plus nombreux, l'expérience acquise de la lutte clandestine fut précieuse et aboutit souvent, plus qu'à des révoltes ouvertes, à des activités d'autodéfense assez efficaces. Selon le Lager et l'époque, on réussit ainsi à faire pression sur les SS ou à les corrompre de manière à limiter l'effet de leur pouvoir indiscriminé ; on parvint à saboter le travail destiné aux industries de guerre allemandes, à organiser des évasions, à communiquer par radio avec les Alliés en leur fournissant des informations sur les terribles conditions de vie des camps, à améliorer le traitement des malades en faisant mettre des médecins prisonniers à la place des médecins SS, à « orienter » les sélections en envoyant à la mort les mouchards ou les traîtres et en sauvant les prisonniers dont la survie, pour une raison quelconque, avait une importance particulière, à se préparer à la résistance armée au cas où, sous la pression du front ennemi, les Allemands auraient décidé (comme cela se produisit souvent) de procéder à la liquidation générale des Lager.

Dans les camps à prédominance juive, comme ceux d'Auschwitz, il était particulièrement difficile d'envisager une défense quelconque, active ou passive. Les prisonniers, en effet, n'avaient généralement aucune expérience de militant ou de soldat ; ils provenaient de tous les pays d'Europe, parlaient des langues différentes et ne se comprenaient pas entre eux ; et surtout, ils étaient plus affamés, plus faibles et plus épuisés que les autres, d'abord parce que leurs conditions de vie étaient plus dures, et ensuite parce qu'ils avaient souvent derrière eux tout un passé de faim, de persécutions et d'humiliations subies dans les ghettos dont ils arrivaient. Avec, pour ultime conséquence, cette particularité que leur séjour au Lager était tragiquement court : ils constituaient en somme une population fluctuante, sans cesse décimée par la mort et constamment renouvelée par l'arrivée de convois successifs. Il n'est pas surprenant que le germe de la révolte ait eu du mal à s'enraciner dans un tissu humain aussi détérioré et aussi instable.

On peut se demander pourquoi les prisonniers ne se révoltaient pas dès la descente du train, pendant ces longues heures (et parfois ces longs jours) d'attente qui précédaient leur entrée dans les chambres à gaz. Il faut préciser à ce propos, outre ce qui a déjà été dit, que les Allemands avaient mis au point pour cette entreprise de mort collective une technique d'une ingéniosité et d'une souplesse diaboliques. La plupart du temps, les nouveaux venus ne savaient pas ce qui les attendait : on les accueillait avec une froide efficacité, mais sans brutalité, puis on les invitait à se déshabiller « pour la douche ». Parfois on leur donnait une serviette de toilette et du savon, et on leur promettait un café chaud après le bain. Les chambres à gaz étaient en effet camouflées en salles de douches, avec tuyauteries, robinets, vestiaires, portemanteaux, bancs, etc. Lorsqu'en revanche ils croyaient remarquer que les détenus savaient ou soupçonnaient ce qu'on allait faire d'eux, les SS et leur aides agissaient alors par surprise : ils intervenaient avec la plus grande brutalité, à grand renfort de hurlements, de menaces et de coups, n'hésitant pas à tirer des coups de feu et à lancer contre des êtres effarés et désespérés, éprouvés par cinq ou six jours de voyage dans des wagons plombés, leurs chiens dressés à la tuerie.

Dans ces conditions, l'affirmation qu'on a parfois formulée, selon laquelle les juifs ne se seraient pas révoltés par couardise, est aussi absurde qu'insultante. La réalité, c'est que personne ne se révoltait : il suffit de rappeler que les chambres à gaz d'Auschwitz furent testées sur un groupe de trois cents prisonniers de guerre russes, jeunes, militairement entraînés, politiquement préparés, et qui n'étaient pas retenus par la présence de femmes et d'enfants ; et eux non plus ne se révoltèrent pas.

Je voudrais enfin ajouter une dernière considération. La conscience profonde que l'oppression ne doit pas être tolérée, mais qu'il faut y résister n'était pas très développée dans l'Europe fasciste, et était particulièrement faible en Italie. C'était l'apanage d'un petit nombre d'hommes politiquement actifs, que le fascisme et le nazisme avaient isolés, expulsés, terrorisés ou même supprimés : il ne faudrait pas oublier que les premières victimes des Lager allemands furent justement, et par centaines de milliers, les cadres des partis politiques antinazis. Leur apport venant à manquer, la volonté populaire de résister, de s'organiser pour résister, n'a reparu que beaucoup plus tard, grâce surtout au concours des partis communistes européens qui se jetèrent dans la lutte contre le nazisme lorsque l'Allemagne, en juin 1941, eut attaqué l'Union Soviétique à l'improviste, rompant ainsi l'accord Ribbentrop-Molotov de septembre 1939. En conclusion, je dirai que reprocher aux prisonniers de ne pas s'être révoltés, c'est avant tout commettre une erreur de perspective historique : cela veut dire exiger d'eux une conscience politique aujourd'hui beaucoup plus largement répandue, mais qui représentait alors l'apanage d'une élite.

4. *Êtes-vous retourné à Auschwitz après votre libération ?*

Je suis retourné à Auschwitz en 1965, à l'occasion d'une cérémonie commémorative de la libération des camps. Comme j'ai eu l'occasion de le dire dans mes livres, l'empire concentrationnaire d'Auschwitz comprenait non pas un, mais une quarantaine de Lager ; le camp d'Auschwitz proprement dit, édifié à la périphérie de la petite ville du même nom (en polonais Oświęcim) pouvait contenir environ vingt mille prisonniers et constituait en quelque sorte la capitale administrative de cette agglomération ; venait ensuite le Lager (ou plus exactement les Lager, de trois à cinq selon le moment) de Birkenau, qui alla jusqu'à contenir soixante mille prisonniers, dont quarante mille femmes, et où étaient installés les fours crématoires et les chambres à gaz ; et enfin un nombre toujours variable de camps de travail, situés parfois à des centaines de kilomètres de la « capitale ». Le camp où j'étais, appelé Monowitz, était le plus grand de ceux-ci, ayant contenu jusqu'à douze mille prisonniers environ. Il était situé à sept kilomètres à peu près à l'est d'Auschwitz. Toute l'étendue des lieux se trouve aujourd'hui en territoire polonais.

La visite au Camp Principal ne m'a pas fait grande impression : le gouvernement polonais l'a transformé en une sorte de monument national ; les baraques ont été nettoyées et repeintes, on a planté des arbres et dessiné des plates-bandes. Il y a un musée où sont exposés de pitoyables vestiges : des tonnes de cheveux humains, des centaines de milliers de lunettes, des peignes, des blaireaux, des poupées, des chaussures d'enfants ; mais cela reste un musée, quelque chose de figé, de réordonné, d'artificiel. Le camp tout entier m'a fait l'effet d'un musée. Quant à mon Lager, il n'existe plus ; l'usine de caoutchouc à laquelle il était annexé, et qui est devenue propriété polonaise, s'est tellement agrandie qu'elle en a complètement recouvert l'emplacement.

Par contre, j'ai éprouvé un sentiment de violente angoisse en pénétrant dans le Lager de Birkenau, que je n'avais jamais vu à l'époque où j'étais prisonnier. Là, rien n'a changé : il y avait de la boue, et il y a encore de la boue, ou bien une poussière suffocante l'été ; les baraques (celles qui n'ont pas été incendiées lors du passage du front) sont restées comme elles étaient : basses, sales, faites de planches disjointes, avec un sol de terre battue ; il n'y a pas de couchettes, mais de larges planches de bois nu superposées jusqu'au plafond. Là, rien n'a été enjolivé. J'étais avec une amie, Giuliana Tedeschi, rescapée de Birkenau. Elle m'a dit que sur chacune de ces planches — de 1,80 m sur 2 — on faisait dormir jusqu'à neuf femmes. Elle m'a fait remarquer que de la fenêtre on voit les ruines du four crématoire ; à cette époque-là, on voyait la flamme en haut de la cheminée. Elle avait demandé aux anciennes : « Qu'est-ce que c'est que ce feu ? », et elle s'était entendu répondre : « C'est nous qui brûlons. »

Face au triste pouvoir évocateur de ces lieux, chaque ancien déporté réagit de façon différente, mais on peut cependant distinguer deux catégories bien définies.

Appartiennent à la première ceux qui refusent d'y retourner ou même d'en parler, ceux qui voudraient oublier sans y parvenir et sont tourmentés par des cauchemars, enfin ceux qui au contraire ont tout oublié, tout refoulé, et ont recommencé à vivre en partant de zéro. J'ai remarqué que ce sont tous en général des individus qui ont échoué au Lager « par accident », c'est-à-dire sans engagement politique précis ; pour eux, la souffrance a été une expérience traumatisante mais dénuée de signification et d'enseignement, comme un malheur ou une maladie : pour eux, le souvenir est un peu comme un corps étranger qui s'est introduit douloureusement dans leur vie, et qu'ils ont cherché (ou qu'ils cherchent encore) à éliminer. Dans la seconde catégorie par contre, on trouve les ex-prisonniers politiques, ou des individus qui possèdent, d'une manière ou d'une autre, une éducation politique, une conviction religieuse ou une forte conscience morale. Pour eux, se souvenir est un devoir : eux ne veulent pas oublier, et surtout ne veulent pas que le monde oublie, car ils ont compris que leur expérience avait un sens et que les Lager n'ont pas été un accident, un imprévu de l'Histoire.

Les Lager nazis ont été l'apogée, le couronnement du fascisme européen, sa manifestation la plus monstrueuse ; mais le fascisme existait déjà avant Hitler et Mussolini, et il a survécu, ouvertement ou sous des formes dissimulées, à la défaite de la Seconde Guerre mondiale. Partout où, dans le monde, on commence par bafouer les libertés fondamentales de l'homme et son droit à l'égalité, on glisse rapidement vers le système concentrationnaire, et c'est une pente sur laquelle il est difficile de s'arrêter. Je connais beaucoup d'anciens déportés qui, ayant parfaitement compris quelle terrible leçon recelait leur expérience, retournent chaque année dans « leur » camp et y conduisent des jeunes en pèlerinage. Moi-même je le ferais volontiers si j'en avais le temps, et si je n'avais pas le sentiment que j'atteins le même but en écrivant des livres, et en acceptant de les commenter à mes jeunes lecteurs.

5. *Pourquoi parlez-vous seulement des Lager allemands, et ne dites-vous rien des camps russes ?*

Comme je l'ai dit en répondant à la première question, je préfère le rôle de témoin à celui de juge : j'ai à témoigner, et à témoigner de ce que j'ai vu et subi. Mes livres ne sont pas des ouvrages d'histoire : en les écrivant, je me suis limité à rapporter les faits dont j'avais une expérience directe, excluant ceux dont je n'ai eu connaissance que plus tard, par les livres et les journaux. Vous remarquerez, par exemple, que je n'ai pas cité les chiffres du massacre d'Auschwitz, pas plus que je n'ai décrit le mécanisme des chambres à gaz et des fours crématoires : cela, parce que ce sont des données que je ne connaissais pas quand j'étais au Lager, et que je n'ai possédées que par la suite, en même temps que tout le monde.

C'est pour la même raison que je ne parle généralement pas des camps russes : par bonheur, je n'y suis pas allé, et je ne pourrais que répéter à leur sujet ce que j'en ai lu, c'est-à-dire ce que savent tous ceux qui se sont intéressés à la question. Bien entendu, il ne faudrait pas croire pour autant que je veuille me dérober au devoir qu'a tout homme de se faire une opinion et de l'exprimer. Au-delà de ressemblances évidentes, je crois pouvoir observer d'importantes différences entre les camps soviétiques et les Lager nazis.

La principale de ces différences tient aux buts poursuivis. De ce point de vue, les Lager allemands constituent un phénomène unique dans l'histoire pourtant sanglante de l'humanité : à l'antique objectif visant à éliminer ou à terroriser l'adversaire politique, ils ont adjoint un objectif moderne et monstrueux, celui de rayer de la surface du globe des peuples entiers avec leurs cultures. A partir de 1941 environ, les Lager allemands deviennent de gigantesques machines de mort : les chambres à gaz et les fours crématoires avaient été délibérément conçus pour détruire des vies et des corps humains par millions ; l'horrible record en revient à Auschwitz, avec 24 000 morts en une seule journée au mois d'août 1944. Certes, les camps soviétiques n'étaient, et ne sont toujours pas des endroits où il fait bon vivre, mais même dans les années les plus sombres du stalinisme la mort des internés n'y était pas un but déclaré : c'était un accident assez fréquent, et accepté avec une indifférence brutale, mais qui n'était pas expressément voulu ; c'était en somme une conséquence possible de la faim, du froid, des épidémies, de l'épuisement. Pour compléter cette lugubre comparaison entre deux types d'enfer, il faut ajouter qu'en général on entrait dans les Lager allemands pour ne plus en sortir : il n'y était prévu d'autre issue que la mort ; alors que la réclusion dans les camps soviétiques avait toujours un terme : du temps de Staline, les « coupables » étaient parfois condamnés à de très longues peines (qui pouvaient aller jusqu'à quinze ou vingt ans) avec une épouvantable désinvolture, mais il leur restait toutefois, si faible fût-il, un espoir de liberté.

Cette différence fondamentale en entraîne une série d'autres. Les rapports entre gardiens et prisonniers sont moins inhumains en Union Soviétique : les uns et les autres appartiennent à un même peuple, parlent la même langue, il n'y a pas chez eux de « surhommes » et de « sous-hommes » comme chez les nazis. Les malades sont sans doute mal soignés, mais on les soigne ; face à un travail trop pénible, on peut envisager une protestation, individuelle ou collective ; les châtiments corporels sont rares et pas trop cruels ; on peut recevoir de chez soi des lettres et des colis de vivres ; bref, la personnalité humaine n'y est pas déniée, elle n'y est pas totalement condamnée. Par contre, dans les Lager allemands, tout au moins pour les juifs et les Tziganes, le massacre était quasi total : il n'épargnait même pas les enfants, qui furent tués par milliers dans les chambres à gaz, cas unique parmi toutes les atrocités de l'histoire de l'humanité. Le résultat est que les taux de mortalité sont extrêmement différents pour chacun des deux systèmes. En Union Soviétique, il semble que, dans les pires moments, la mortalité ait atteint environ 30 % du total des entrées, et c'est déjà un chiffre intolérablement élevé ; mais dans les Lager allemands, la mortalité était de 90 à 98 %.

Une récente innovation soviétique me paraît extrêmement grave : celle qui consiste, en déclarant sommairement qu'ils sont fous, à faire interner certains intellectuels dissidents dans des hôpitaux psychiatriques où on les soumet à des « traitements » qui non seulement provoquent de cruelles souffrances, mais altèrent et affaiblissent les facultés mentales. C'est la preuve que la dissidence est redoutée : elle n'est plus punie, mais on cherche à la détruire par les médicaments (ou par la peur des médicaments). Cette méthode n'est peut-être pas très répandue (en 1975, ces internés politiques n'étaient, semble-t-il, pas plus d'une centaine), mais elle est odieuse parce qu'elle suppose une utilisation ignoble de la science, et une prostitution impardonnable de la part des médecins qui se prêtent aussi servilement à satisfaire les volontés du pouvoir. Elle révèle un profond mépris pour le débat démocratique et les libertés individuelles.

Toutefois, et pour ce qui est justement de l'aspect quantitatif de la question, il faut remarquer qu'en Union Soviétique le phénomène du Goulag apparaît actuellement en déclin. Il semble que dans les années cinquante les prisonniers politiques se soient comptés par millions; d'après les chiffres d'Amnesty International (une association apolitique qui a pour but de porter secours aux prisonniers politiques de tous les pays du monde et de toutes les opinions), ils seraient aujourd'hui (1976) environ dix mille.

En conclusion, les camps soviétiques n'en demeurent pas moins de déplorables exemples d'illégalité et d'inhumanité. Ils n'ont rien à voir avec le socialisme et défigurent au contraire le socialisme soviétique; sans doute faut-il y voir une subsistance barbare de l'absolutisme tsariste, dont les gouvernements soviétiques n'ont pas su ou voulu se libérer. Quand on lit les *Souvenirs de la maison des morts,* écrits par Dostoïevski en 1862, on y reconnaît sans peine, dans ses grandes lignes, l'univers concentrationnaire décrit cent ans plus tard par Soljenitsyne. Mais il est possible, facile même, d'imaginer un socialisme sans camps, comme il a du reste été réalisé dans plusieurs endroits du monde. Un nazisme sans Lager n'est pas concevable.

6. *Parmi les personnages de* Si c'est un homme, *quels sont ceux que vous avez revus après votre libération ?*

La plupart des personnages qui apparaissent dans ce livre doivent malheureusement être considérés comme disparus dès l'époque du Lager ou pendant la terrible marche d'évacuation mentionnée à la p. 243, d'autres sont morts plus tard des suites de maladies contractées durant leur détention, d'autres enfin sont restés introuvables malgré mes recherches. Quelques-uns seulement sont encore en vie, et j'ai pu garder ou reprendre contact avec eux.

Jean, le « Pikolo » du *Chant d'Ulysse,* est vivant et en bonne santé : il avait perdu presque tous les membres de sa famille, mais après son retour en France il s'est marié ; il a maintenant deux enfants et mène une vie paisible dans une petite ville de province où il est pharmacien. Nous nous voyons de temps en temps en Italie, lorsqu'il vient y passer ses vacances ; ou bien c'est moi qui suis allé le trouver. Curieusement, il ne se rappelle pas grand-chose de son année à Monowitz : ce qui l'a surtout marqué, ce sont les souvenirs atroces du voyage d'évacuation, au cours duquel il a vu mourir d'épuisement tous ses amis (parmi lesquels Alberto).

Je vois aussi assez souvent le personnage que j'ai appelé Piero Sonnino (p. 79), le même qui apparaît dans *la Trêve* sous le nom de « Cesare ». Lui aussi, après une difficile période de réadaptation, il a trouvé un travail et fondé un foyer. Il vit à Rome. Il raconte volontiers, et avec beaucoup de verve, les épreuves affrontées au camp et durant le long voyage de retour, mais dans ces récits, qui prennent souvent la dimension de monologues de théâtre, il tend à faire valoir les épisodes aventureux où il a eu le premier rôle plutôt que les événements tragiques auxquels il a assisté passivement.

J'ai également revu Charles. Il n'avait été fait prisonnier qu'en 1944, non loin de chez lui, dans les montagnes des Vosges où il avait pris le maquis, et n'avait donc passé qu'un mois au Lager, mais ces mois de souffrances et les choses atroces auxquelles il avait assisté l'avaient profondément marqué, et lui avaient ôté la joie de vivre et la volonté de se construire un avenir. Revenu dans son pays après un voyage comparable à celui que j'ai raconté dans *la Trêve,* il a repris son métier d'instituteur dans la minuscule école de son village où, il y a peu de temps encore, il apprenait aux enfants, entre autres, à élever des abeilles et à cultiver des pépinières de sapins et de pins. Depuis quelques années, il est à la retraite ; il a récemment épousé une collègue d'un certain âge, et ensemble ils se sont construit une maison neuve, petite mais confortable et agréable. Je suis allé les voir deux fois, en 1951 et en 1974. A cette dernière occasion, il m'a donné des nouvelles d'Arthur, qui habite dans un village voisin ; il est vieux et malade, et ne désire pas recevoir de visites qui puissent réveiller en lui d'anciennes angoisses.

Mes retrouvailles avec Mendi, le « rabbin moderniste » évoqué en quelques lignes p. 103 et 161, ont été dramatiques, imprévues, et pleines de joie pour tous deux. Mendi s'est reconnu en lisant par hasard, en 1965, la traduction allemande de ce livre : il se souvenait de moi et m'a écrit une longue lettre adressée à la Communauté israélite de Turin. Nous nous sommes alors écrit régulièrement, en nous tenant mutuellement informés de ce qu'étaient devenus nos amis communs.

En 1967, je suis allé le trouver à Dortmund, en Allemagne fédérale, où il était alors rabbin ; j'ai retrouvé le même homme, « tenace, courageux et fin », et extraordinairement cultivé. Il a épousé une ancienne déportée d'Auschwitz et a maintenant trois grands enfants : toute la famille a l'intention d'aller s'installer en Israël.

Je n'ai jamais revu le Doktor Pannwitz, le chimiste qui m'avait fait passer un odieux « examen d'État », mais j'ai eu de ses nouvelles par l'intermédiaire de ce Doktor Müller à qui j'ai consacré le chapitre Vanadium de mon livre *le Système périodique*[1]. Alors que l'arrivée de l'Armée Rouge était imminente, il s'est conduit avec arrogance et lâcheté : après avoir ordonné à ses collaborateurs civils de résister à outrance et leur avoir interdit de monter sur le dernier train en partance pour l'arrière, il y est lui-même monté au dernier moment, à la faveur de la confusion générale. Il est mort en 1946 d'une tumeur au cerveau.

7. *Comment s'explique la haine fanatique des nazis pour les juifs ?*

L'aversion pour les juifs, improprement appelée antisémitisme, n'est qu'un cas particulier d'un phénomène plus général, à savoir l'aversion pour ce qui est différent de nous. Indubitablement, il s'agit à l'origine d'un phénomène zoologique : les animaux d'une même espèce, mais appartenant à des groupes différents, manifestent entre eux des réactions d'intolérance. Cela se produit également chez les animaux

1. Albin Michel.

domestiques : il est bien connu que si on introduit une poule provenant d'un certain poulailler dans un autre poulailler, elle est repoussée à coups de bec pendant plusieurs jours. On observe le même comportement chez les rats et les abeilles, et en général chez toutes les espèces d'animaux sociaux. Il se trouve que l'homme est lui aussi un animal social (Aristote l'avait déjà dit), mais que deviendrait-il si toutes les impulsions animales qui subsistent en lui devaient être tolérées ! Les lois humaines servent justement à ceci : limiter l'instinct animal.

L'antisémitisme est un phénomène typique d'intolérance. Pour qu'une intolérance se manifeste, il faut qu'il y ait entre deux groupes en contact une différence perceptible : ce peut être une différence physique (les Noirs et les Blancs, les bruns et les blonds), mais notre civilisation compliquée nous a rendus sensibles à des différences plus subtiles, comme la langue ou le dialecte, ou même l'accent (nos Méridionaux contraints à émigrer dans le Nord en savent quelque chose), ou bien la religion avec toutes ses manifestations extérieures et sa profonde influence sur la manière de vivre, ou encore la façon de s'habiller et de gesticuler, les habitudes publiques et privées. L'histoire tourmentée du peuple juif a voulu que presque partout les juifs aient manifesté une ou plusieurs de ces différences.

Dans l'enchevêtrement si complexe des nations et des peuples en lutte, l'histoire du peuple juif présente des caractéristiques particulières. Il était (et est encore en partie) dépositaire de liens internes très étroits, de nature religieuse et traditionnelle ; aussi, en dépit de son infériorité numérique, le peuple juif s'opposa-t-il avec un courage désespéré à la conquête romaine ;

vaincu, il fut déporté et dispersé, mais les liens internes subsistèrent. Les colonies juives qui se formèrent alors peu à peu, d'abord sur les côtes méditerranéennes, puis au Moyen-Orient, en Espagne, en Rhénanie, en Russie méridionale, en Pologne et ailleurs, restèrent toujours obstinément fidèles à ces liens qui s'étaient peu à peu renforcés sous la forme d'un immense corpus de lois et de traditions écrites, d'une religion strictement codifiée et d'un rituel particulier qui se manifestait de manière ostensible dans tous les actes quotidiens. Les juifs, en minorité dans tous les endroits où ils se fixaient, étaient donc différents, reconnaissables comme différents, et souvent orgueilleux (à tort ou à raison) de cette différence : tout cela les rendait très vulnérables, et effectivement ils furent durement persécutés, dans presque tous les pays et à presque tous les siècles ; un petit nombre d'entre eux réagit aux persécutions en s'assimilant, en s'incorporant à la population autochtone ; la plupart émigrèrent à nouveau vers des pays plus hospitaliers. Et ce faisant, ils renouvelaient leur « différence », s'exposant à de nouvelles restrictions et à de nouvelles persécutions.

Bien qu'il soit dans son essence un phénomène irrationnel d'intolérance, dans tous les pays chrétiens et à partir du moment où le christianisme commença à se constituer comme religion d'État, l'antisémitisme prit une forme principalement religieuse, et même théologique. Si l'on en croit saint Augustin, c'est Dieu lui-même qui condamne les juifs à la dispersion, et cela pour deux raisons : comme punition pour n'avoir pas reconnu le Messie dans la personne du Christ, et parce que leur présence dans tous les pays est nécessaire à l'Église catholique, elle aussi présente partout, afin que partout les fidèles aient sous les yeux le spectacle du malheur mérité des juifs. C'est pourquoi la dispersion et la séparation des juifs ne doivent pas avoir de fin : par leurs souffrances, ils doivent témoigner pour l'éternité de leur erreur, et par conséquent de la vérité de la foi chrétienne. Aussi, puisque leur présence est nécessaire, doivent-ils être persécutés, mais non tués.

Toutefois, l'Église ne s'est pas toujours montrée aussi modérée : dès les premiers siècles du christianisme les juifs eurent à subir une accusation bien plus grave, celle d'être, collectivement et éternellement, responsables de la crucifixion du Christ, d'être en somme le « peuple déicide ». Cette formule, qui apparaît dans la liturgie pascale en des temps reculés, et qui n'a été supprimée que par le concile Vatican II (1962-1965), a alimenté des croyances populaires aussi funestes que tenaces : que les juifs empoisonnent les puits pour propager la peste ; qu'ils ont pour habitude de profaner l'Hostie consacrée ; qu'à Pâques, ils enlèvent des enfants chrétiens et qu'ils pétrissent le pain azyme avec leur sang. Ces croyances ont servi de prétexte à de nombreux massacres sanglants, et entre autres à l'expulsion massive des juifs, d'abord de France et d'Angleterre, puis (1492-1498) d'Espagne et du Portugal.

Au fil d'une série continue de massacres et de migrations, on arrive au XIXe siècle, marqué par un réveil général de la conscience nationale et par la reconnaissance des droits des minorités : à l'exception de la Russie tsariste, les restrictions légales au préjudice des juifs sont abolies dans toute l'Europe. Elles avaient été réclamées par les Églises chrétiennes et prévoyaient, selon le lieu et l'époque, l'obligation de résider dans des ghettos ou dans des emplacements particuliers, l'obligation de porter une marque distinctive sur ses vêtements, l'interdiction d'accéder à certains métiers ou professions, l'interdiction de contracter des mariages mixtes, etc. Pourtant l'antisémitisme ne disparaît pas pour autant, et il est même particulièrement vivace dans les pays où une religiosité arriérée continue à désigner les juifs comme les assassins du Christ (en Pologne et en Russie), et où les revendications nationales ont laissé les séquelles d'une aversion générale pour les populations frontalières et les étrangers (en Allemagne, mais aussi en France, où, à la fin du xixe siècle, les cléricaux, les nationalistes et les militaires s'unissent pour déclencher une violente poussée d'antisémitisme, à l'occasion de la fausse accusation de haute trahison portée contre Alfred Dreyfus, officier juif de l'armée française).

En Allemagne, en particulier, durant tout le siècle dernier, une série ininterrompue de philosophes et d'hommes politiques n'avait cessé de prôner la théorie fanatique selon laquelle le peuple allemand, trop longtemps divisé et humilié, détenait la primauté en Europe et peut-être même dans le monde, qu'il était l'héritier de traditions et de civilisations extrêmement nobles et antiques, et qu'il était constitué d'individus de race et de sang essentiellement homogènes. Les peuples allemands devaient donc se constituer en un État fort et guerrier qui, revêtu d'une majesté quasi divine, guiderait l'Europe.

Cette idée de la mission de la nation allemande survit à la défaite de la Première Guerre mondiale, et sort même renforcée de l'humiliation du traité de Versailles. C'est alors que s'en empare l'un des personnages les plus sinistres et funestes de l'Histoire, l'agitateur politique Adolf Hitler. La bourgeoisie et les milieux industriels allemands prêtent l'oreille à ses discours enflammés : ce Hitler promet, il réussira à détourner sur les juifs la rancœur que le prolétariat allemand voue aux classes qui l'ont conduit à la défaite et au désastre économique. En quelques années, à partir de 1933, celui-ci réussit à utiliser à son profit la colère d'un pays humilié et l'orgueil nationaliste suscité par les prophètes qui l'ont précédé : Luther, Fichte, Hegel, Wagner, Gobineau, Chamberlain, Nietzsche. Hitler n'a qu'une pensée, celle d'une Allemagne dominatrice, non pas dans un lointain avenir, mais tout de suite ; non pas à travers une mission civilisatrice, mais par les armes. Tout ce qui n'est pas allemand lui apparaît inférieur, voire haïssable, et les premiers ennemis de l'Allemagne, ce sont les juifs, pour de multiples raisons que Hitler énonce avec une fureur dogmatique : parce qu'ils ont « un sang différent » ; parce qu'ils sont apparentés à d'autres juifs en Angleterre, en Russie, en Amérique ; parce qu'ils sont les héritiers d'une culture qui veut qu'on raisonne et qu'on discute avant d'obéir, et qui interdit de s'incliner devant les idoles, alors que lui-même aspire précisément à être vénéré comme une idole et n'hésite pas à proclamer que « nous devons nous méfier de l'intelligence et de la conscience, et mettre toute notre foi dans les instincts ». Enfin, il se trouve qu'un grand nombre de juifs allemands occupent des positions clés dans le domaine de l'économie, de la finance, des arts, des sciences, de la littérature : Hitler, peintre manqué, architecte raté, reporta sur les juifs sa propre rancœur et sa jalousie de frustré.

Ce germe d'intolérance, tombant sur un terrain déjà propice, s'y enracine avec une incroyable vigueur, mais sous des formes nouvelles. L'antisémitisme de type fasciste, celui que réveille chez le peuple allemand le verbe propagandiste de Hitler, cet antisémitisme est plus barbare que tous ceux qui ont précédé : on y voit converger des doctrines biologiques artificieusement déformées, selon lesquelles les races faibles doivent plier devant les races fortes, d'absurdes croyances populaires que le bon sens avait depuis des siècles reléguées dans l'obscurantisme, une propagande de tous les instants. On en arrive alors à des extrémités sans précédent. Le judaïsme n'est plus une religion dont on peut changer en se faisant baptiser, ni une tradition culturelle que l'on peut laisser pour une autre : c'est une sous-espèce humaine, une race différente et inférieure à toutes les autres. Les juifs ne sont des êtres humains qu'en apparence : en réalité, ils sont quelque chose de différent, d'abominable et d'indéfinissable, « plus éloignés des Allemands que les singes des hommes »; ils sont coupables de tout, du capitalisme rapace des Américains comme du bolchevisme soviétique, de la défaite de 1918 et de l'inflation de 1923 ; le libéralisme, la démocratie, le socialisme et le communisme sont de sataniques inventions juives qui menacent la solidité monolithique de l'Etat nazi.

Le passage de l'endoctrinement théorique à la réalisation pratique fut rapide et brutal. En 1933, deux mois seulement après la montée au pouvoir de Hitler, Dachau, le premier Lager, est déjà né. Au mois de mai de la même année a lieu le premier autodafé de livres d'auteurs juifs ou ennemis du nazisme (mais déjà, plus de cent ans auparavant, Heine, poète juif allemand, avait écrit : « Ceux qui brûlent les livres finissent tôt ou tard par brûler des hommes »). En 1935, l'antisémitisme est codifié par une législation monumentale et extrêmement minutieuse, les Lois de Nuremberg. En 1938, en une seule nuit de troubles pilotés d'en haut, on incendie 191 synagogues et on met à sac des milliers de magasins appartenant à des juifs. En 1939, alors que la Pologne vient d'être occupée, les juifs polonais sont enfermés dans des ghettos. En 1940, on inaugure le Lager d'Auschwitz. En 1941-1942, la machine exterminatrice tourne à plein régime : les victimes se compteront par millions en 1944.

C'est dans la pratique routinière des camps d'extermination que la haine et le mépris instillés par la propagande nazie trouvent leur plein accomplissement. Là en effet, il ne s'agit plus seulement de mort, mais d'une foule de détails maniaques et symboliques, visant tous à prouver que les juifs, les Tziganes et les Slaves ne sont que bétail, boue, ordure. Qu'on pense à l'opération de tatouage d'Auschwitz, par laquelle on marquait les hommes comme des bœufs, au voyage dans des wagons à bestiaux qu'on n'ouvrait jamais afin d'obliger les déportés (hommes, femmes et enfants !) à rester des jours entiers au milieu de leurs propres excréments, au numéro matricule à la place du nom, au fait qu'on ne distribuait pas de cuillère (alors que les entrepôts d'Auschwitz, à la libération, en contenaient des quintaux), les prisonniers étant censés laper leur soupe comme des chiens ; qu'on pense enfin à l'exploitation infâme des cadavres, traités comme une quelconque matière première propre à fournir l'or des dents, les cheveux pour en faire du tissu, les cendres pour servir d'engrais, aux hommes et aux femmes ravalés au rang de cobayes sur lesquels on expérimentait des médicaments avant de les supprimer.

Le moyen même qui fut choisi (après de minutieux essais) pour opérer le massacre, était hautement symbolique. On devait employer, et on employa, le gaz toxique déjà utilisé pour la désinfection des cales de bateaux et des locaux envahis par les punaises ou les poux. On a inventé au cours des siècles des morts plus cruelles, mais aucune n'a jamais été aussi lourde de haine et de mépris.

Chacun sait que l'œuvre d'extermination atteignit une ampleur considérable. Bien qu'ils fussent engagés dans une guerre très dure, et qui plus est devenue défensive, les nazis y déployèrent une hâte inexplicable : les convois de victimes à envoyer aux chambres à gaz ou à évacuer des Lager proches du front, avaient la priorité sur les trains militaires. Si l'extermination ne fut pas portée à terme, c'est seulement parce que l'Allemagne fut vaincue, mais le testament politique dicté par Hitler quelques heures avant son suicide, à quelques mètres de distance des Russes, s'achevait sur ces mots : « Avant tout, j'ordonne au gouvernement et au peuple allemand de continuer à appliquer strictement les lois raciales, et de combattre inexorablement l'empoisonneuse de toutes les nations, la juiverie internationale. »

En résumé, on peut donc affirmer que l'antisémitisme est un cas particulier de l'intolérance ; que pendant des siècles il a eu un caractère essentiellement religieux ; que, sous le IIIe Reich, il s'est trouvé exacerbé par les prédispositions nationalistes et militaristes du peuple allemand, et par la « diversité » spécifique du peuple juif ; qu'il se répandit facilement dans toute l'Allemagne et dans une bonne partie de l'Europe grâce à l'efficacité de la propagande fasciste et nazie, qui avait besoin d'un bouc émissaire sur lequel faire retomber toutes les fautes et toutes les rancœurs ; et que le phénomène fut porté à son paroxysme par Hitler, dictateur maniaque.

Cependant, je dois admettre que ces explications,

qui sont celles communément admises, ne me satisfont pas : elles sont restrictives, sans mesure, sans proportion avec les événements qu'elles sont censées éclairer. A relire les historiques du nazisme, depuis les troubles des débuts jusqu'aux convulsions finales, je n'arrive pas à me défaire de l'impression d'une atmosphère générale de folie incontrôlée qui me paraît unique dans l'histoire. Pour expliquer cette folie, cette espèce d'embardée collective, on postule habituellement la combinaison de plusieurs facteurs différents, qui se révèlent insuffisants dès qu'on les considère séparément, et dont le principal serait la personnalité même de Hitler, et les profonds rapports d'interaction qui le liaient au peuple allemand. Et il est certain que ses obsessions personnelles, sa capacité de haine, ses appels à la violence trouvaient une résonance prodigieuse dans la frustration du peuple allemand, qui les lui renvoyait multipliés, le confirmant dans la conviction délirante que c'était lui le Héros annoncé par Nietzsche, le Surhomme rédempteur de l'Allemagne.

L'origine de sa haine pour les juifs a fait couler beaucoup d'encre. On a dit que Hitler reportait sur les juifs sa haine du genre humain tout entier ; qu'il reconnaissait chez les juifs certains de ses propres défauts, et que, haïssant les juifs, c'était lui-même qu'il haïssait ; que la violence de son aversion était due à la crainte d'avoir du « sang juif » dans les veines.

Mais encore une fois, cela ne me semble pas concluant. On ne peut pas, me semble-t-il, expliquer un phénomène historique en attribuant toute la responsabilité à un seul individu (ceux qui ont exécuté des ordres contre nature *ne sont pas* innocents !), et par ailleurs il est toujours hasardeux d'interpréter les motivations profondes d'un individu. Les hypothèses avancées ne justifient les faits que dans une certaine mesure, ils en expliquent la qualité mais pas la quantité. J'avoue que je préfère l'humilité avec laquelle quelques historiens, parmi les plus sérieux (Bullock, Schramm, Bracher), reconnaissent *ne pas comprendre* l'antisémitisme acharné de Hitler, et à sa suite de l'Allemagne.

Peut-être que ce qui s'est passé ne peut pas être compris, et même *ne doit pas être compris,* dans la mesure où comprendre, c'est presque justifier. En effet, « comprendre » la décision ou la conduite de quelqu'un, cela veut dire (et c'est aussi le sens étymologique du mot) les mettre en soi, mettre en soi celui qui en est responsable, se mettre à sa place, s'identifier à lui. Eh bien, aucun homme normal ne pourra jamais s'identifier à Hitler, à Himmler, à Goebbels, à Eichmann, à tant d'autres encore. Cela nous déroute et nous réconforte en même temps, parce qu'il est peut-être souhaitable que ce qu'ils ont dit — et aussi, hélas, ce qu'ils ont fait — ne nous soit plus compréhensible. Ce sont là des paroles et des actions non humaines, ou plutôt anti-humaines, sans précédents historiques, et qu'on pourrait à grand-peine comparer aux épisodes les plus cruels de la lutte biologique pour l'existence. Car si la guerre peut avoir un rapport avec ce genre de lutte, Auschwitz n'a rien à voir avec la guerre, elle n'en constitue pas une étape, elle n'en est pas une forme outrancière. La guerre est une réalité terrible qui existe depuis toujours : elle est regrettable, mais elle est en nous, elle a sa propre rationalité, nous la « comprenons ».

Mais dans la haine nazie, il n'y a rien de rationnel : c'est une haine qui n'est pas en nous, qui est étrangère à l'homme, c'est un fruit vénéneux issu de la funeste souche du fascisme, et qui est en même temps au-dehors et au-delà du fascisme même. Nous ne pouvons pas la comprendre ; mais nous pouvons et nous devons comprendre d'où elle est issue, et nous tenir sur nos gardes. Si la comprendre est impossible, la connaître est nécessaire, parce que ce qui est arrivé peut recommencer, les consciences peuvent à nouveau être déviées et obscurcies : les nôtres aussi.

C'est pourquoi nous avons tous le devoir de méditer sur ce qui s'est produit. Tous nous devons savoir, ou nous souvenir, que lorsqu'ils parlaient en public, Hitler et Mussolini étaient crus, applaudis, admirés, adorés comme des dieux. C'étaient des « chefs charisma-tiques », ils possédaient un mystérieux pouvoir de séduction qui ne devait rien à la crédibilité ou à la justesse des propos qu'ils tenaient mais qui venait de la façon suggestive dont ils les tenaient, à leur éloquence, à leur faconde d'histrions, peut-être innée, peut-être patiemment étudiée et mise au point. Les idées qu'ils proclamaient n'étaient pas toujours les mêmes et étaient en général aberrantes, stupides ou cruelles ; et pourtant ils furent acclamés et suivis jusqu'à leur mort par des milliers de fidèles. Il faut rappeler que ces fidèles, et parmi eux les exécuteurs zélés d'ordres inhumains, n'étaient pas des bourreaux-nés, ce n'étaient pas — sauf rares exceptions — des monstres, c'étaient des hommes quelconques. Les monstres existent, mais ils sont trop peu nombreux pour être vraiment dangereux ; ceux qui sont plus dangereux, ce sont les hommes ordinaires, les fonctionnaires prêts à croire et à obéir sans discuter, comme Eichmann, comme Höss, le commandant d'Auschwitz, comme Stangl, le commandant de Treblinka, comme, vingt ans après, les militaires français qui tuèrent en Algérie, et comme, trente ans après, les militaires américains qui tuèrent au Viêt-nam.

Il faut donc nous méfier de ceux qui cherchent à nous convaincre par d'autres voies que par la raison, autrement dit des chefs charismatiques : nous devons bien peser notre décision avant de déléguer à quelqu'un d'autre le pouvoir de juger et de vouloir à notre place. Puisqu'il est difficile de distinguer les vrais prophètes des faux, méfions-nous de tous les prophètes ; il vaut mieux renoncer aux vérités révélées, même si elles nous transportent par leur simplicité et par leur éclat, même si nous les trouvons commodes parce qu'on les a gratis. Il vaut mieux se contenter d'autres vérités plus modestes et moins enthousiasmantes, de celles que l'on conquiert laborieusement, progressivement et sans brûler les étapes, par l'étude, la discussion et le raisonnement, et qui peuvent être vérifiées et démontrées.

Bien entendu, cette recette est trop simple pour pouvoir s'appliquer à tous les cas : il se peut qu'un nouveau fascisme, avec son cortège d'intolérance, d'abus et de servitude, naisse hors de notre pays et y soit importé, peut-être subrepticement et camouflé sous d'autres noms ; ou qu'il se déchaîne de l'intérieur avec une violence capable de renverser toutes les barrières. Alors, les conseils de sagesse ne servent plus, et il faut trouver la force de résister : en cela aussi, le souvenir de ce qui s'est passé au cœur de l'Europe, il n'y a pas si longtemps, peut être une aide et un avertissement.

8. *Que seriez-vous aujourd'hui si vous n'aviez pas été prisonnier dans un Lager ? Qu'éprouvez-vous*

*lorsque vous vous remémorez cette période ? A quels
facteurs attribuez-vous le fait d'être encore en vie ?*

A proprement parler, je ne sais pas et ne peux pas
savoir ce que je serais aujourd'hui si je n'avais pas été
dans un Lager : nul ne connaît son avenir, et il s'agirait
en l'occurrence de décrire un avenir qui n'a pas existé.
S'il peut y avoir un sens à risquer des prévisions (toujours très approximatives d'ailleurs) sur le comportement d'une population, il est en revanche extrêmement
difficile, sinon impossible, de prévoir le comportement
d'un individu, fût-ce à quelques jours de distance. De
la même façon, le physicien peut évaluer avec une
grande précision en combien de temps un gramme de
radium perdra la moitié de son activité, mais il est
absolument incapable de dire à quel moment un seul
des atomes de ce radium se désintégrera. Si un homme
arrive au croisement de deux rues et ne prend pas celle
de gauche, il prendra nécessairement celle de droite ;
mais il est très rare que nous n'ayons à choisir qu'entre
deux possibilités, et de plus chaque choix en entraîne
d'autres, tous multiples, et ainsi de suite à l'infini ;
enfin, notre avenir dépend aussi fortement de facteurs
externes, totalement étrangers à nos choix délibérés, et
de facteurs internes dont toutefois nous ne sommes pas
conscients. Toutes ces raisons évidentes font qu'on ne
peut connaître ni son propre avenir ni celui des autres ;
et c'est pour les mêmes raisons que personne ne peut
imaginer son passé « au conditionnel ».

Je puis cependant affirmer une chose, c'est que si je
n'avais pas vécu l'épisode d'Auschwitz, je n'aurais
probablement jamais écrit. Je n'aurais pas eu de moti-
vation, de stimulation à écrire : j'avais été un élève
médiocre en italien et mauvais en histoire, je m'inté-

ressais beaucoup plus à la physique et à la chimie, et j'avais ensuite choisi un métier, celui de chimiste, qui n'avait rien de commun avec le monde de l'écriture. Ce fut l'expérience du Lager qui m'obligea à écrire : je n'ai pas eu à combattre la paresse, les problèmes de style me semblaient ridicules, j'ai trouvé miraculeusement le temps d'écrire sans avoir à empiéter ne fût-ce que d'une heure sur mon travail quotidien : ce livre — c'était l'impression que j'avais — était déjà tout prêt dans ma tête et ne demandait qu'à sortir et à prendre place sur le papier.

Bien des années ont passé depuis; ce livre a connu de nombreuses vicissitudes, et il s'est curieusement interposé, comme une mémoire artificielle, mais aussi comme une barrière défensive, entre un présent on ne peut plus normal et le terrible passé d'Auschwitz. J'hésite à le dire car je ne voudrais pas passer pour un cynique, mais lorsqu'il m'arrive aujourd'hui de penser au Lager, je ne ressens aucune émotion violente ou pénible. Au contraire : à ma brève et tragique expérience de déporté s'est superposée celle d'écrivain-témoin, bien plus longue et complexe, et le bilan est nettement positif; au total, ce passé m'a intérieurement enrichi et affermi. Une de mes amies, déportée toute jeune au Lager pour femmes de Ravensbrück, assure que le camp a été son université : je crois, pour ma part, que je pourrais en dire autant, et qu'en vivant, puis en écrivant et en méditant cette expérience, j'ai beaucoup appris sur les hommes et sur le monde.

Je dois cependant me hâter de préciser que cette issue positive a été une chance réservée à une étroite minorité. Sur l'ensemble des déportés italiens, par exemple, il n'y en a que 5 % qui soient revenus, et parmi eux beaucoup ont perdu leur famille, leurs amis, leurs biens, leur santé, leur équilibre, leur jeunesse. Le fait que je sois encore vivant et que je sois revenu indemne tient surtout, selon moi, à la chance. Les facteurs préexistants, comme mon entraînement à la vie de montagne et mon métier de chimiste qui m'a valu quelques privilèges dans les derniers mois de détention, n'ont joué que dans une faible mesure. Peut-être aussi ai-je trouvé un soutien dans mon intérêt jamais démenti pour l'âme humaine, et dans la volonté non seulement de survivre (c'était là l'objectif de beaucoup d'entre nous), mais de survivre dans le but précis de raconter les choses auxquelles nous avions assisté et que nous avions subies. Enfin, ce qui a peut-être également joué, c'est la volonté que j'ai tenacement conservée, même aux heures les plus sombres, de toujours voir, en mes camarades et en moi-même, des hommes et non des choses, et d'éviter ainsi cette humiliation, cette démoralisation totales qui pour beaucoup aboutissaient au naufrage spirituel.

Primo LEVI

Novembre 1976.

TABLE DES MATIÈRES

Faites de nouvelles rencontres sur pocket.fr

- Toute l'actualité des auteurs : rencontres, dédicaces, conférences...
- Les dernières parutions
- Des 1ers chapitres à télécharger
- Des jeux-concours sur les différentes collections du catalogue pour gagner des livres et des places de cinéma

POCKET

Un livre, une rencontre.

POCKET - 92, Avenue de France - 75013 Paris

Dépôt légal : juillet 2021

S02250/44